LG전자

인적성검사

PREFACE

우리나라 기업들은 1960년대 이후 현재까지 비약적인 발전을 이루었다. 이렇게 급속한 성장을 이룰 수 있었던 배경에는 우리나라 국민들의 근면성 및 도전정신이 있었다. 그러나 빠르게 변화하는 세계 경제의 환경에 적응하기 위해서는 근면성과 도전정신 이외에 또 다른 성장 요인이 필요하다.

한국기업들이 지속가능한 성장을 하기 위해서는 혁신적인 제품 및 서비스 개발, 선도 기술을 위한 R&D, 새로운 비즈니스 모델 개발, 효율적인 기업의 합병·인수, 신사업 진출 및 새로운 시장 개발 등 다양한 대안을 구축해 볼 수 있다. 하지만, 이러한 대안들 역시 훌륭한 인적자원을 바탕으로 할 때에 가능하다. 최근으로 올수록 기업체들은 자신의 기업에 적합한 인재를 선발하기 위해 기존의 학벌 위주의 채용을 탈피하고 기업 고유의 인·적성검사 제도를 도입하고 있는 추세이다.

LG전자에서도 업무에 필요한 역량 및 책임감과 적응력 등을 구비한 인재를 선발하기 위하여 LG전자만의 인적성검사를 치르고 있다. 본서는 LG전자 채용대비를 위한 필독서로 LG전자 인적성검사의 출제경향을 철저히 분석하여 응시자들이 보다 쉽게 시험유형을 파악하고 효율적으로 대비할 수 있도록 구성하였다.

신념을 가지고 도전하는 사람은 반드시 그 꿈을 이룰 수 있습니다. 처음에 품은 신념과 열정이 취업 성공의 그 날까지 빛바래지 않도록 서원각이 수험생 여러분을 응원합니다.

STRUCTURE

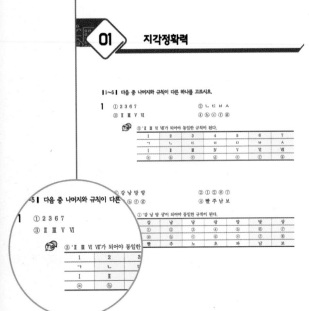

적성검사 출제예상문제

다양한 유형의 출제예상문제를 다수 수록하여 실전에 완벽하게 대비할 수 있습니다.

상세한 해설

문제의 핵심을 꿰뚫는 명쾌하고 자세한 해설로 수험생들의 이해를 돕습니다.

인성검사 및 면접

인성검사의 개요와 실전 인성검사로 다양한 유형의 인성검사를 대비할 수 있습니다. 성공취업을 위한 면접의 기본과 면접기출을 수록하여 취업의 마무리까지 깔끔하게 책임집니다.

CONTENTS

PART

I

LG전자 소개

01 기업소개 및 채용안내

1 회사개요

(1) 기업소개

LG전자는 전자제품, 모바일 통신기기 및 가전제품 분야의 기술혁신을 선도하는 글로벌 리더로 전 세계 100여 개 사업장에서 비즈니스를 전개해 2017년 매출 61조 3,963억 원을 기록했다. LG전자는 홈 어플라이언스 & 에어 솔루션(H&A), 홈 엔터테인먼트(HE), 모바일 커뮤니케이션즈(MC), 비이클 콤포넌트 솔루션(VS), 비즈니스 솔루션(BS)의 5개 사업본부로 구성되어 있으며 TV, 세탁기, 냉장고, 휴대폰, 자동차 부품 등에서 시장을 선도하고 있다.

(2) 사업소개

① **홈 어플라이언스 & 에어 솔루션(H & A)** … 전 세계 고객의 문화적 특성과 생활 습관 등 고객 연구를 기반으로 혁신적인 기술, 프리미엄 디자인을 결합한 시장 선도형 제품들을 선보이며 '글로벌 토털 홈 솔루션'을 제공함으로써 글로벌 가전 시장을 선도하고 있다.

② **홈 엔터테인먼트(HE)** … TV, 모니터, PC 등 다양한 혁신 제품을 선보이며, 홈 엔터테인먼트 업계를 선도하고 있다. 기존 TV와는 차원이 다른 '올레드 TV'를 필두로, 나노셀 기술을 적용한 '슈퍼 울트라HD TV' 등 차세대 TV로 시장을 선도하고 있다.

③ **모바일 커뮤니케이션즈(MC)** … 혁신적인 기술과 독창적인 디자인으로 소비자들의 삶에 새로운 가치를 더하기 위해 노력하고 있다. 특히, 세계 1위의 LTE 특허 리더십, 소비자 중심의 디자인, 앞선 디스플레이 기술력, 감성 혁신 기반의 사용자 경험을 통해 소비자들에게 모바일을 넘어선 본질적인 즐거움을 제공하고, 협력사들과 동반 성장할 수 있는 모바일 생태계를 구축해나가고 있다.

④ **비이클 콤포넌트 솔루션(VS)** … 'Innovation Partner for Vehicle Electrification'이라는 비전 아래 글로벌 Top Tier 자동차 부품 회사가 되고자 한다. 전기, 전자 분야의 첨단 기술력과 품질 중심 경영을 바탕으로 자율주행 및 차세대 전기차 시장의 고객들에게 차별화된 가치를 제공하고 있다.

⑤ **비즈니스 솔루션(BS)** … 전 세계 고객에게 혁신적인 제품과 솔루션을 제공하는 비즈니스 파트너이다. 기대를 뛰어넘는 맞춤형 제품과 솔루션으로 고객의 성공과 미래를 함께 하고자 노력하고 있다.

2 채용안내

(1) 인재상

"LG WAY에 대한 신념과 실행력을 겸비한 사람"

① 꿈과 열정을 가지고 세계 최고에 도전하는 사람

② 고객을 최우선으로 생각하고 끊임없이 혁신하는 사람

③ 팀워크를 이루며 자율적이고 창의적으로 일하는 사람

④ 꾸준히 실력을 배양하여 정정당당하게 경쟁하는 사람

(2) 인사제도

① 직급체계

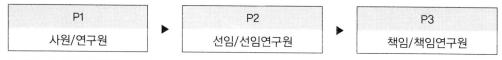

P1	P2	P3
사원/연구원	선임/선임연구원	책임/책임연구원

※ 석사 및 박사 졸업생의 경우 수학기간을 고려하여 직급 연차를 부여

② 임금체계 … LG는 매년 객관적이고 공정한 평가를 바탕으로 본인 조직의 성과에 따라 차별화된 연봉을 책정함으로써 성과주의 보상을 실행한다. 추가적인 보상으로 경영성과에 대한 수익을 개인 또는 조직 별 성과에 따라 차별적으로 지급한다.

ㄱ 기본연봉 : 기본연봉은 고정급으로 연봉제로 지급된다.

ㄴ 인센티브 : 조직과 개인성과를 연계하여 개인의 평가 등급에 따라 인센티브가 지급된다.

ㄷ 성과급 : 직원 개개인이 더욱 신나게 일할 수 있도록 경영성과에 다라 성과급이 지급된다.

③ 복리후생

구분	내용
회사생활	선택적 복리후생 포인트, 출퇴근 버스, 동호회 활동, 장기근속 포상, 사내식당 운영
가족	출퇴근 유연제도, 경조금 지원, 상조서비스 지원, 주택자금 지원, 자녀 학자금 지원, 재해지원, 출산휴가 지원, 육아기 근로 제도, 육아 지원
건강	의료비 지원, 건강검진, 심리/건강 상담, 체력단련실 운영, 단체보험
여가활동	콘도 지원, 스포츠 티켓 지원, 휴가 제도

(3) 인재육성

① **인재육성 Process** ··· LG전자는 인재육성을 위해 1:1 Caring을 통한 육성 Process가 운영된다.

Counseling		Planning		Training-Job		Staffing
상사와 1:1 면담	▶	개인별 맞춤형 경력개발서 작성	▶	그룹 필수 교육 직무별 교육 학위 파견	▶	승진 직책임명

② **신입사원 교육체계** ··· LG전자 신입 사원은 총 5단계의 교육 체계를 통해 조직 및 직무에 적응하도록 육성되고 있다. LG전자에 대한 이해를 통해 조직에 적응하고, 공통 및 직무 역량 개발을 통해 직무 성과를 창출한다.

구분	내용
공통교육 (4~5주)	• 그룹 교육(2주) : LG인으로서의 소속감과 자부심을 갖고 LG WAY를 이해하고 실천함→LG WAY 내재화 • 전자 교육(1주) : LG WAY와 전자 공통역량 기반으로 탁월한 업무 성과를 창출함→공통 역량 개발 • 본부 교육(1~2주) : 기본 업무 프로세스와 VALUECHAIN에 대한 이해를 높임→VALUE CHAIN / 업무 프로세스
직무교육 (8~10주)	• 직무 스킬 습득 : 직무 영역에서의 성과 창출에 필요한 지식과 기술을 단련함
멘토링 (약 12주)	• 현업 조직/업무 적응 : 구성원의 동기부여 및 조직 몰입도를 강화하고, 경력 및 직무역량을 강화함

③ **직무역량 개발** ··· 총 13개의 직무 College를 구축하여, 사내강사(분야별 명장 포함)를 활용하여 전 사원의 직무 역량 개발을 촉진시키고 있다. R&D/SW/Marketing 신입사원은 8주~10주 조기역량강화 프로그램을 통해 집중 육성하고 있다.

3 채용절차

(1) LG 신입사원 공채 절차

지원서 접수 (모집 및 홍보, 입사지원서 접수) ⇨ 서류전형 ⇨ 인적성 검사 ⇨ 면접전형 ⇨ 건강검진 ⇨ 최종합격

(2) 서류전형

① 자기소개서 항목을 통해 지원자 여러분들의 회사와 직무에 대한 관심 또는 역량을 자세히 파악

② 본인이 얼마나 지원한 회사 또는 직무에 적합한 인재인지를 항목당 1000자 및 500자의 분량으로 작성

③ 인적성검사 … LG Way에 적합한 인재를 선별하고자 하는 LG만의 평가 방식

　㉠ 인성

　　• LG Way에 맞는 개인별 역량 또는 직업 성격적인 적합도 확인

　　• 총 342문항으로 50분간 진행

　㉡ 적성

　　• 신입사원의 직무수행 기본 역량을 검증하기 위한 평가

　　• 언어이해 / 언어추리 / 수리력 / 도형추리 / 도식적추리 다섯 가지 유형으로 구성, 총 105문항 125분간 진행

　㉢ 면접전형

　　• 지원자가 갖추고 있는 기본 역량 및 자질을 확인

　　• LG Way 기반의 인성면접과 더불어 다양한 방식으로 각 지원분야에 맞는 인재를 찾기 위해 노력

　㉣ 건강검진 및 합격 : 건강한 몸과 마음으로 회사생활을 시작할 수 있는지를 판단

관련기사

02

가전관리 'LG 씽큐' 앱에 음성인식 추가

스마트폰으로 음성제어 가능

LG전자가 스마트폰으로 가전제품을 제어하는 'LG씽큐' 앱에 음성인식 기능을 추가한다.

LG전자는 고객들이 LG 씽큐 앱을 보다 편리하게 사용할 수 있도록 내달 중 구글 어시스턴트 기반의 음성인식 기능을 넣기로 했다. 올해 말까지 무선인터넷(Wi-Fi)이 탑재된 생활가전 全 제품이 스마트폰을 통해 음성으로 제어하는 게 가능해진다.

국내 가전업체 가운데 가전관리 앱에 음성인식 기능을 추가한 것은 LG전자가 처음이다.

고객들은 씽큐 앱의 음성인식 기능을 사용해 가전제품을 제어하는 것만 아니라 제품 상태를 파악하고 기능이나 고장여부를 물어보고 생활 팁까지 얻을 수 있다.

예를 들어 고객들이 씽큐 앱에 제품을 등록한 다음 앱 화면의 오른쪽 상단에 있는 마이크를 누르고 "에어컨 켜줘" 혹은 "공기청정기 바람 강풍으로 바꿔줘"라고 말하면 앱이 음성을 인식해 제품을 작동시킨다.

고객들이 "제습기 현재 습도 알려줄래?", "남은 세탁 시간 알려줘" 등 제품의 상태를 물어보면 "실내 습도는 50%입니다.", "10분 남았습니다." 등으로 답해준다.

또 고객들이 "공기청정기 듀얼 청정이 뭐지?", "세탁기에 세제 얼마나 넣어야 돼?", "생활 팁 알려줘" 등을 말하면 해당되는 내용을 앱 화면을 통해 얻을 수 있다.

LG전자는 국내를 시작으로 북미, 유럽 등 글로벌 시장에 씽큐 앱의 음성인식을 추가할 예정이다.

LG전자는 가전관리 앱을 보다 강화하는 것에 맞춰 기존에 LG 스마트 씽큐로 사용하던 앱 명칭을 올해 10월부터는 'LG 씽큐 앱'으로 변경하기도 했다.

LG전자는 2017년부터 출시하는 생활가전 全 제품에 무선 인터넷을 탑재하면서 인공지능 스마트홈을 구현하기 위한 인프라 확대에 지속적으로 투자해 왔다. 또 스마트폰, 인공지능 스피커, 스마트 기기 등을 가전과 무선으로 연결해 다양한 서비스를 제공하며 스마트홈 생태계를 꾸준히 확대하고 있다.

LG전자 H&A스마트홈사업담당 류혜정 전무는 "고객들이 가전을 보다 편리하게 사용하며 스마트홈을 경험할 수 있도록 다양한 기능을 제공할 것"이라고 말했다.

-2019. 8. 23

면접질문
- 'LG 씽큐 앱에 대해 이해한 대로 활용 방안을 제시해 보시오.
- H&A스마트홈 사업으로 인해 변화될 미래의 라이프 스타일을 생각나는 대로 말해보시오.

'LG 시네빔 레이저 4K', 글로벌 시장 공략 가속화

'LG 시네빔 레이저 4K', 북미·유럽 등 확대 출시
고해상도 및 초대형 화면 선호도 증가…4K 프로젝터 시장 성장

LG전자가 4K 해상도를 구현한 'LG 시네빔(LG Cinebeam)' 프로젝터 신제품을 앞세워 해외 시장 공략을 가속화한다.

LG전자는 지난 7월 국내시장에 가장 먼저 출시한 'LG 시네빔 레이저 4K(모델명: HU85L)'를 8월 북미시장에 이어 9월부터 독일, 스페인, 네덜란드 등 유럽 주요 국가에 확대 출시한다.

LG전자는 미국 유명 비디오 아티스트 '데이비드 반 에이슨(David Van Eyssen)'과 협업해, 현지시간 23일부터 24일까지 산타모니카에서 'LG 시네빔 레이저 4K' 등을 활용한 디지털 아트 전시회 '프로젝션(Projections)'를 열었다. 홈시네마 컨셉에 맞춰 집안에서도 초대형·고해상도 화면으로 생생한 작품을 감상할 수 있도록 공간을 조성해 관람객들의 호응을 얻었다.

'LG 시네빔 레이저 4K'는 4K 해상도와 2,000,000:1의 뛰어난 명암비는 물론, 좁은 공간에서도 최대 120인치 초대형 화면을 구현하는 초단초점 기술을 적용했다. 제품과 스크린 간 거리에 따라 화면 크기를 조절할 수 있는데, 10cm만 떨어져도 100인치의 대화면을 보여준다.

이 제품은 촛불 2,700개를 동시에 켠 밝기 수준인 최대 2,700 안시루멘(ANSI-Lumen)에 달해, 주변이 밝은 환경에서도 사용자는 또렷하고 생생한 화질을 감상할 수 있다.

'LG 시네빔 레이저 4K'는 파란색 레이저 광원과 빨간색 레이저 광원을 모두 탑재한 '듀얼 레이저' 광원을 적용해, 단색 레이저 광원을 사용하는 프로젝터보다 더 풍부하고 섬세한 색 표현이 가능하다.

이 제품은 다양한 편의기능도 갖췄다. LG 스마트 TV에 적용한 독자 플랫폼 'webOS(웹OS)'를 탑재해, 별도 주변기기를 연결하지 않더라도 다양한 콘텐츠를 초대형 화면에서 즐길 수 있다.

고해상도 및 초대형 화면에 대한 고객 선호도가 높아짐에 따라 전세계 홈시네마 프로젝터 시장에서 4K(3,840X2,160) 이상 고해상도 제품이 차지하는 비중이 올해 처음으로 50%를 넘어설 것으로 전망된다. 홈시네마용 프로젝터는 풀HD 이상 해상도, 1,500~4,000 안시루멘 밝기 등을 구현해 가정에서 즐기기에 적합하다.

LG전자는 다음달 6일부터 11일까지 독일 베를린에서 열리는 'IFA 2019' 전시회에서 'LG 시네빔 레이저 4K' 등을 전시한다.

한편, 국내 고객들은 LG베스트샵 강남본점, 대치본점 등 전국 30여 매장에 마련된 'LG 시네빔' 체험존에서 홈시네마 공간을 체험할 수 있다.

장익환 LG전자 IT사업부장 상무는 "차별화된 성능과 편의성을 모두 갖춘 'LG 시네빔'을 앞세워 성장하는 고해상도 홈시네마 프로젝터 시장을 집중 공략할 것"이라고 강조했다.

-2019. 8. 26

면접질문 • 'LG 시네빔'만의 특별한 장점에 대해 아는 대로 서술하시오.

PART

II

인성검사

01 인성검사의 개요

1 인성검사의 개념과 목적

인성(성격)이란 개인을 특징짓는 평범하고 일상적인 사회적 이미지, 즉 지속적이고 일관된 공적 성격(Public-personality)이며, 환경에 대응함으로써 선천적·후천적 요소의 상호작용으로 결정화된 심리적·사회적 특성 및 경향을 의미한다. 여러 연구 결과에 따르면 직무에서의 성공과 관련된 특성들은 개인의 능력보다 성격과 관련이 있다고 한다.

LG그룹에서는 인성검사를 통하여 각 개인이 어떠한 성격 특성이 발달되어 있고, 어떤 특성이 얼마나 부족한지, 그것이 해당 직무의 특성 및 조직문화와 얼마나 맞는지를 알아보고 이에 적합한 인재를 선발하고자 한다. 또한 개인에게 적합한 직무 배분과 부족한 부분을 교육을 통해 보완하도록 할 수 있다.

인성검사의 문항은 각 개인의 특성을 알아보고자 하는 것으로 절대적으로 옳거나 틀린 답이 없다. 결과를 지나치게 의식하여 솔직하게 응답하지 않으면 과장 반응으로 분류될 수 있다. 그러므로 각 문항에 대해 자신의 생각이나 행동을 있는 그대로 솔직하게 나타내는 것이 가장 바람직하다.

인성검사의 측정요소는 검사방법에 따라 차이가 있다. 일부 기관의 경우는 보안을 위해 인성검사를 의뢰한 기업과 문항에 대한 공개를 하지 않아서 인성검사의 유형을 정확히 파악하는 것이 어렵다.

LG그룹의 인성검사는 계열사별로 진행해 오다가 2010년 하반기 공채를 시작으로 'LG Way Fit Test'를 실시하고 있다. 이 검사를 통해 LG WAY와 구직자가 얼마나 적합한 지를 측정하게 된다. 각 문항에 대해 1점부터 7점까지를 선택하게 되어 있으며(Normative 방식), 한 세트 내에서 각 문항에 대해 자신을 가장 잘 표현하는 문항과 그렇지 않은 문항을 골라서 표기를 해야 한다(Ipsative 방식). 인성검사에서 탈락하여도 다시 입사 지원할 수 있으며, LG Way Fit Test 점수가 낮은 경우에도 추후에 고려 대상이 될 수 있다는 것이 회사 측의 설명이다.

2 인성검사 대책

(1) 솔직하게 있는 그대로 표현한다

인성검사는 평범한 일상생활 내용들을 다룬 짧은 문장과 어떤 대상이나 일에 대한 선호를 선택하는 문장으로 구성되었으므로 평소에 자신이 생각한 바와 문제를 보는 순간 떠오른 것을 표현한다.

(2) 모든 문제를 신속하게 대답한다

인성검사는 시간제한이 없는 것이 원칙이지만 시·공간적 제약으로 인해 채용시험에서는 일정한 시간제한을 두고 있다. 인성검사는 개인의 성격과 자질을 알아보기 위한 검사이기 때문에 정답이 없다. 다만, 해당 기업에서 바람직하게 생각하거나 기대되는 결과가 있을 뿐이다. 따라서 시간에 쫓겨서 대충 대답을 하는 것은 바람직하지 못하다.

(3) 일관성 있게 대답한다

간혹 반복되는 문제들이 출제되기 때문에 일관성 있게 답하지 않으면 감점될 수 있으므로 유의한다. 실제로 공기업 인사부 직원의 인터뷰에 따르면 일관성이 없게 대답한 응시자들이 감점을 받아 탈락했다고 한다. 거짓된 응답을 하다보면 일관성 없는 결과가 나타날 수 있으므로 신속하고 솔직하게 체크하다 보면 일관성 있는 응답이 될 것이다.

(4) 마지막까지 집중해서 검사에 임한다

장시간 진행되는 검사에 지칠 수 있으므로 마지막까지 집중해서 정확히 답할 수 있도록 해야 한다.

┃1~2┃ 각 문항에 주어진 A, B, C를 보고 자신과 부합할 경우 ⑦에 가깝게, 그렇지 않을 경우 ①에 가깝게 ①에서 ⑦ 중 하나를 선택하시오. 이후 A, B, C 세 문장 중 자신과 가장 가까운 내용에 '가깝다'를, 가장 먼 내용에 '멀다'를 표시하시오.

1

문항예시	응답 I							응답 II	
	전혀 아님 ◀ 보통 ▶ 매우 그러함							멀다	가깝다
A 어떤 일을 시작하기 전에 일의 단계를 수립한다.	①	②	③	④	⑤	⑥	⑦	○	○
B 어려운 목표를 성취하고자 한다.	①	②	③	④	⑤	⑥	⑦	○	○
C 새롭고 다양한 경험을 선호한다.	①	②	③	④	⑤	⑥	⑦	○	○

2

문항예시	응답 I							응답 II	
	전혀 아님 ◀ 보통 ▶ 매우 그러함							멀다	가깝다
A 적시에 적절한 의사결정을 내리는 편이다.	①	②	③	④	⑤	⑥	⑦	○	○
B 사람들과의 상호작용을 좋아한다.	①	②	③	④	⑤	⑥	⑦	○	○
C 상황 변화에 따라 유연하게 대처하려고 한다.	①	②	③	④	⑤	⑥	⑦	○	○

LG Way Fit Test

+PLUS TIP

- 실제 LG Way Fit Test는 총 342문항으로 50분간 시행된다. 본서에 수록된 LG Way Fit Test는 실제 시험의 반분검사 성격으로 총 171문항을 25분간 시행하도록 한다.
- 응답 I : A, B, C 문장을 읽고 자신이 '매우 그러하다'고 생각할 경우 ⑦을, '전혀 아니다'고 생각할 경우 ①을 선택하는 것으로, 그 정도에 따라 ①에서 ⑦ 중 하나를 선택한다.
- 응답 II : A, B, C 세 문장 중 자신과 가장 가까운 내용에 '가깝다'를 선택하고, 가장 먼 내용에 '멀다'를 선택한다.
- LG Way Fit Test 유형의 인성검사는 처음부터 끝까지 일관성 있게 답변하기가 어렵다. 따라서 솔직하면서도 신속하게 답변해 나가는 연습이 충분히 요구된다.
- 인성검사는 응답자의 성향을 파악하기 위한 도구로 별도의 정답이 없다.

▎1~171▎ 다음 주어진 문장을 보고 자신과 관계가 멀수록 1에 근접한 숫자를, 가까울수록 7에 근접한 숫자를 선택하시오. 그리고 3문장 중 자신과 가장 가까운 문장은 '가깝다'에 표시하고 가장 먼 문장은 '멀다'에 표시하시오.

1

문항예시	응답 I							응답 II	
	전혀 아님 ◀ 보통 ▶ 매우 그러함							멀다	가깝다
A 모임에서 회장에 어울리지 않는다고 생각한다.	①	②	③	④	⑤	⑥	⑦	○	○
B 어떠한 일에도 의욕이 없이 임하는 편이다.	①	②	③	④	⑤	⑥	⑦	○	○
C 학급에서는 존재가 두드러졌다.	①	②	③	④	⑤	⑥	⑦	○	○

2

문항예시	응답 I							응답 II	
	전혀 아님 ◀ 보통 ▶ 매우 그러함							멀다	가깝다
A 아무것도 생각하지 않을 때가 많다.	①	②	③	④	⑤	⑥	⑦	○	○
B 매사에 열정적인 편이다.	①	②	③	④	⑤	⑥	⑦	○	○
C '좀 더 노력하시오'라는 말을 듣는 편이다.	①	②	③	④	⑤	⑥	⑦	○	○

3

문항예시	응답 I							응답 II	
	전혀 아님 ◀ 보통 ▶ 매우 그러함							멀다	가깝다
A 멋진 조연역을 하는 배우를 좋아한다.	①	②	③	④	⑤	⑥	⑦	○	○
B 리드를 하는 편이다.	①	②	③	④	⑤	⑥	⑦	○	○
C 나서는 것을 좋아하지 않는다.	①	②	③	④	⑤	⑥	⑦	○	○

4

문항예시	응답 I							응답 II	
	전혀 아님 ◀ 보통 ▶ 매우 그러함							멀다	가깝다
A 여유있게 대비하는 타입이다.	①	②	③	④	⑤	⑥	⑦	○	○
B 업무가 진행 중이라도 야근을 하지 않는다.	①	②	③	④	⑤	⑥	⑦	○	○
C 생각날 때 방문하므로 부재 중일 때가 있다.	①	②	③	④	⑤	⑥	⑦	○	○

5

문항예시	응답 I							응답 II	
	전혀 아님 ◀ 보통 ▶ 매우 그러함							멀다	가깝다
A 무리해서 행동할 필요는 없다.	①	②	③	④	⑤	⑥	⑦	○	○
B 정해진 대로 움직이는 편이 안심된다.	①	②	③	④	⑤	⑥	⑦	○	○
C 자유분방한 편이다.	①	②	③	④	⑤	⑥	⑦	○	○

6

문항예시	응답 I							응답 II	
	전혀 아님 ◀ 보통 ▶ 매우 그러함							멀다	가깝다
A 비교적 냉정한 편이다.	①	②	③	④	⑤	⑥	⑦	○	○
B 봉사활동에 관심이 많은 편이다.	①	②	③	④	⑤	⑥	⑦	○	○
C 업무수행시 동료에게 양보를 자주 하는 편이다.	①	②	③	④	⑤	⑥	⑦	○	○

7

문항예시	응답 I							응답 II	
	전혀 아님 ◀ 보통 ▶ 매우 그러함							멀다	가깝다
A 훌륭한 문학작품에 감동한 적이 많다.	①	②	③	④	⑤	⑥	⑦	○	○
B 서로의 감정을 나누는 것을 소중하게 여긴다.	①	②	③	④	⑤	⑥	⑦	○	○
C 매우 이성적인 사람으로 보이고 싶다.	①	②	③	④	⑤	⑥	⑦	○	○

8

문항예시	응답 I							응답 II	
	전혀 아님 ◀ 보통 ▶ 매우 그러함							멀다	가깝다
A 조직의 일원으로 어울린다.	①	②	③	④	⑤	⑥	⑦	○	○
B 업무는 매뉴얼대로 철저히 진행한다.	①	②	③	④	⑤	⑥	⑦	○	○
C 매사에 새로운 시도를 즐긴다.	①	②	③	④	⑤	⑥	⑦	○	○

9

문항예시	응답 I							응답 II	
	전혀 아님 ◀ 보통 ▶ 매우 그러함							멀다	가깝다
A 되도록 환경은 변하지 않는 것이 좋다.	①	②	③	④	⑤	⑥	⑦	○	○
B 활동범위가 좁은 편이다.	①	②	③	④	⑤	⑥	⑦	○	○
C 발이 넓다는 말을 많이 듣는다.	①	②	③	④	⑤	⑥	⑦	○	○

10

문항예시	응답 I							응답 II	
	전혀 아님 ◀ 보통 ▶ 매우 그러함							멀다	가깝다
A 자신을 시원시원한 사람이라고 생각한다.	①	②	③	④	⑤	⑥	⑦	○	○
B 좋다고 생각하면 바로 행동한다.	①	②	③	④	⑤	⑥	⑦	○	○
C 가끔 자신이 속이 좁은 행동을 한다고 느낀다.	①	②	③	④	⑤	⑥	⑦	○	○

11

문항예시	응답 I							응답 II	
	전혀 아님 ◀ 보통 ▶ 매우 그러함							멀다	가깝다
A 생각이 복잡할 때가 많다.	①	②	③	④	⑤	⑥	⑦	○	○
B 질문 받으면 그때의 느낌으로 대답하는 편이다.	①	②	③	④	⑤	⑥	⑦	○	○
C 매사 신중하게 일을 진행하는 편이다.	①	②	③	④	⑤	⑥	⑦	○	○

12

문항예시	응답 I							응답 II	
	전혀 아님 ◀ 보통 ▶ 매우 그러함							멀다	가깝다
A 외출시 문을 잠갔는지 별로 확인하지 않는다.	①	②	③	④	⑤	⑥	⑦	○	○
B 안전책을 고르는 타입이다.	①	②	③	④	⑤	⑥	⑦	○	○
C 꼼꼼하지 못한 편이다.	①	②	③	④	⑤	⑥	⑦	○	○

13

문항예시	응답 I							응답 II	
	전혀 아님 ◀ 보통 ▶ 매우 그러함							멀다	가깝다
A 단념이 중요하다고 생각한다.	①	②	③	④	⑤	⑥	⑦	○	○
B 무슨 일이든지 끝까지 도전하는 편이다.	①	②	③	④	⑤	⑥	⑦	○	○
C 예상하지 못한 업무도 해보고 싶다.	①	②	③	④	⑤	⑥	⑦	○	○

14

문항예시	응답 I							응답 II	
	전혀 아님 ◀ 보통 ▶ 매우 그러함							멀다	가깝다
A 평범하고 평온하게 행복한 인생을 살고 싶다.	①	②	③	④	⑤	⑥	⑦	○	○
B 특별히 소극적이라고 생각하지 않는다.	①	②	③	④	⑤	⑥	⑦	○	○
C 반복되는 일상보다 새로운 경험을 좋아한다.	①	②	③	④	⑤	⑥	⑦	○	○

15

문항예시	응답 I							응답 II	
	전혀 아님 ◀ 보통 ▶ 매우 그러함							멀다	가깝다
A 내일의 계획은 머리 속에 기억해 둔다.	①	②	③	④	⑤	⑥	⑦	○	○
B 꾸준히 노력하는 것을 잘 하지 못한다.	①	②	③	④	⑤	⑥	⑦	○	○
C 자신은 성급하지 않다고 생각한다.	①	②	③	④	⑤	⑥	⑦	○	○

16

문항예시	응답 I							응답 II	
	전혀 아님 ◀ 보통 ▶ 매우 그러함							멀다	가깝다
A 행동력이 있는 편이다.	①	②	③	④	⑤	⑥	⑦	○	○
B 엉덩이가 무거운 편이다.	①	②	③	④	⑤	⑥	⑦	○	○
C 일이 늦어지더라도 신중하게 진행하는 편이다.	①	②	③	④	⑤	⑥	⑦	○	○

17

문항예시	응답 I							응답 II	
	전혀 아님 ◀ 보통 ▶ 매우 그러함							멀다	가깝다
A 특별히 구애받는 것이 없다.	①	②	③	④	⑤	⑥	⑦	○	○
B 돌다리는 두들겨 보지 않고 건너도 된다.	①	②	③	④	⑤	⑥	⑦	○	○
C 행동하기 전에 생각을 많이 하는 편이다.	①	②	③	④	⑤	⑥	⑦	○	○

18

문항예시	응답 I							응답 II	
	전혀 아님 ◀ 보통 ▶ 매우 그러함							멀다	가깝다
A 비교적 개방적이다.	①	②	③	④	⑤	⑥	⑦	○	○
B 전통을 견실히 지키는 것이 적절하다.	①	②	③	④	⑤	⑥	⑦	○	○
C 요즘 신세대를 보면 부러움을 느끼는 편이다.	①	②	③	④	⑤	⑥	⑦	○	○

19

문항예시	응답 I							응답 II	
	전혀 아님 ◀ 보통 ▶ 매우 그러함							멀다	가깝다
A 상식적인 판단을 하는 타입이라고 생각한다.	①	②	③	④	⑤	⑥	⑦	○	○
B 객관적인 사람이라는 평을 자주 듣는다.	①	②	③	④	⑤	⑥	⑦	○	○
C 틀에 박힌 사고를 싫어한다.	①	②	③	④	⑤	⑥	⑦	○	○

20

문항예시	응답 I							응답 II	
	전혀 아님 ◀ 보통 ▶ 매우 그러함							멀다	가깝다
A 대인관계에서 가장 중요한 것은 배려다.	①	②	③	④	⑤	⑥	⑦	○	○
B 자신에게 유익이 되는 사람을 주로 만난다.	①	②	③	④	⑤	⑥	⑦	○	○
C 대인관계에도 이해관계가 중요하다.	①	②	③	④	⑤	⑥	⑦	○	○

21

문항예시	응답 I							응답 II	
	전혀 아님 ◀ 보통 ▶ 매우 그러함							멀다	가깝다
A 괴로워하는 사람을 보면 우선 이유를 생각한다.	①	②	③	④	⑤	⑥	⑦	○	○
B 대화할 때 상대방의 입장에서 생각하는 편이다.	①	②	③	④	⑤	⑥	⑦	○	○
C 상식 이하의 행동을 하는 동료를 보면 화가 난다.	①	②	③	④	⑤	⑥	⑦	○	○

22

문항예시	응답 I							응답 II	
	전혀 아님 ◀ 보통 ▶ 매우 그러함							멀다	가깝다
A 시시해도 계획적인 인생이 좋다.	①	②	③	④	⑤	⑥	⑦	○	○
B 갑작스런 업무를 싫어하는 편이다.	①	②	③	④	⑤	⑥	⑦	○	○
C 업무가 많을 때는 철야를 해서라도 끝낸다.	①	②	③	④	⑤	⑥	⑦	○	○

23

문항예시	응답 I							응답 II	
	전혀 아님 ◀ 보통 ▶ 매우 그러함							멀다	가깝다
A 주변의 일을 여유있게 해결한다.	①	②	③	④	⑤	⑥	⑦	○	○
B 항상 바쁜 편이다.	①	②	③	④	⑤	⑥	⑦	○	○
C 틈틈이 독서를 즐기는 편이다.	①	②	③	④	⑤	⑥	⑦	○	○

24

문항예시	응답 I							응답 II	
	전혀 아님 ◀ 보통 ▶ 매우 그러함							멀다	가깝다
A 경쟁하는 것을 좋아한다.	①	②	③	④	⑤	⑥	⑦	○	○
B 목표 달성에 별로 구애받지 않는다.	①	②	③	④	⑤	⑥	⑦	○	○
C 범사에 양보하기를 좋아한다.	①	②	③	④	⑤	⑥	⑦	○	○

25

문항예시	응답 I							응답 II	
	전혀 아님 ◀ 보통 ▶ 매우 그러함							멀다	가깝다
A 자주 기회를 놓쳐 아쉬워할 때가 많다.	①	②	③	④	⑤	⑥	⑦	○	○
B 단념하는 것이 필요할 때도 있다.	①	②	③	④	⑤	⑥	⑦	○	○
C 집착이 강한 편이다.	①	②	③	④	⑤	⑥	⑦	○	○

26

문항예시	응답 I							응답 II	
	전혀 아님 ◀ 보통 ▶ 매우 그러함							멀다	가깝다
A 새로운 사람을 만날 때는 용기가 필요하다.	①	②	③	④	⑤	⑥	⑦	○	○
B 동호회 등의 활동을 즐기는 편이다.	①	②	③	④	⑤	⑥	⑦	○	○
C 배낭여행을 좋아한다.	①	②	③	④	⑤	⑥	⑦	○	○

27

문항예시	응답 I							응답 II	
	전혀 아님 ◀ 보통 ▶ 매우 그러함							멀다	가깝다
A 여러 가지 일을 경험하고 싶다.	①	②	③	④	⑤	⑥	⑦	○	○
B 스트레스를 해소하기 위해 집에서 쉬는 편이다.	①	②	③	④	⑤	⑥	⑦	○	○
C 다양한 부류의 사람들과의 만남을 즐긴다.	①	②	③	④	⑤	⑥	⑦	○	○

28

문항예시	응답 I							응답 II	
	전혀 아님 ◀ 보통 ▶ 매우 그러함							멀다	가깝다
A 무리한 도전을 할 필요는 없다고 생각한다.	①	②	③	④	⑤	⑥	⑦	○	○
B 남의 앞에 나서는 것을 잘 하지 못하는 편이다.	①	②	③	④	⑤	⑥	⑦	○	○
C 모임을 리드하는 편이다.	①	②	③	④	⑤	⑥	⑦	○	○

29

문항예시	응답 I							응답 II	
	전혀 아님 ◀ 보통 ▶ 매우 그러함							멀다	가깝다
A '누군가 도와주지 않을까'라고 생각하는 편이다.	①	②	③	④	⑤	⑥	⑦	○	○
B 지하철의 걸인에게 적선한 경우가 많다.	①	②	③	④	⑤	⑥	⑦	○	○
C 지나친 도움에는 자존심이 상한다.	①	②	③	④	⑤	⑥	⑦	○	○

30

문항예시	응답 I							응답 II	
	전혀 아님 ◀ 보통 ▶ 매우 그러함							멀다	가깝다
A 사적인 이유로 업무를 미룰 수도 있다.	①	②	③	④	⑤	⑥	⑦	○	○
B 사려깊다는 소리를 듣는 편이다.	①	②	③	④	⑤	⑥	⑦	○	○
C 업무진행시 신속성을 매우 중요하게 생각한다.	①	②	③	④	⑤	⑥	⑦	○	○

31

문항예시	응답 I							응답 II	
	전혀 아님 ◀ 보통 ▶ 매우 그러함							멀다	가깝다
A 무슨 일이 있어도 오늘 할 일은 오늘 끝낸다.	①	②	③	④	⑤	⑥	⑦	○	○
B 월간, 연간 계획을 자주 세우는 편이다.	①	②	③	④	⑤	⑥	⑦	○	○
C 시간단위로 계획을 세워 일을 진행하는 편이다.	①	②	③	④	⑤	⑥	⑦	○	○

32

문항예시	응답 I							응답 II	
	전혀 아님 ◀ 보통 ▶ 매우 그러함							멀다	가깝다
A 사고가 유연한 편이다.	①	②	③	④	⑤	⑥	⑦	○	○
B 독서로 새로운 생각을 접하는 것을 즐긴다.	①	②	③	④	⑤	⑥	⑦	○	○
C 청소년들을 보며 세대 차이를 많이 느낀다.	①	②	③	④	⑤	⑥	⑦	○	○

33

문항예시	응답 I							응답 II	
	전혀 아님 ◀ 보통 ▶ 매우 그러함							멀다	가깝다
A 한 가지 일에 매달리는 편이다.	①	②	③	④	⑤	⑥	⑦	○	○
B 소수의 친구들과 깊게 사귀는 편이다.	①	②	③	④	⑤	⑥	⑦	○	○
C 낯선 경험을 즐기는 편이다.	①	②	③	④	⑤	⑥	⑦	○	○

34

문항예시	응답 I							응답 II	
	전혀 아님 ◀ 보통 ▶ 매우 그러함							멀다	가깝다
A 새로운 것에 대한 지나친 연구는 시간 낭비다.	①	②	③	④	⑤	⑥	⑦	○	○
B 규칙을 벗어나서까지 사람을 돕고 싶지 않다.	①	②	③	④	⑤	⑥	⑦	○	○
C 일부러 새로운 도전을 시도하기도 한다.	①	②	③	④	⑤	⑥	⑦	○	○

35

문항예시	응답 I							응답 II	
	전혀 아님 ◀ 보통 ▶ 매우 그러함							멀다	가깝다
A 한 가지 일에만 몰두하는 것은 좋지 않다.	①	②	③	④	⑤	⑥	⑦	○	○
B 다양한 경험과 지식을 쌓는 것이 중요하다.	①	②	③	④	⑤	⑥	⑦	○	○
C 한 분야의 전문가가 되고 싶다.	①	②	③	④	⑤	⑥	⑦	○	○

36

문항예시	응답 I							응답 II	
	전혀 아님 ◀ 보통 ▶ 매우 그러함							멀다	가깝다
A 동료가 날 자주 곤경에 빠뜨리려 한다.	①	②	③	④	⑤	⑥	⑦	○	○
B 동료들이 자신을 따돌린다고 생각한 적이 있다.	①	②	③	④	⑤	⑥	⑦	○	○
C 동료들에게 좋은 인상을 주기 위해 애쓴다.	①	②	③	④	⑤	⑥	⑦	○	○

37

문항예시	응답 I							응답 II	
	전혀 아님 ◀ 보통 ▶ 매우 그러함							멀다	가깝다
A 동료가 자신을 싫어한다고 느낄 때가 많다.	①	②	③	④	⑤	⑥	⑦	○	○
B 동료들의 자신에 대한 생각이 궁금하다.	①	②	③	④	⑤	⑥	⑦	○	○
C 팀워크가 좋은 편이다.	①	②	③	④	⑤	⑥	⑦	○	○

38

문항예시	응답 I							응답 II	
	전혀 아님 ◀ 보통 ▶ 매우 그러함							멀다	가깝다
A 무엇이든지 자기가 나쁘다고 생각하는 편이다.	①	②	③	④	⑤	⑥	⑦	○	○
B 죄송하다는 말을 자주 한다.	①	②	③	④	⑤	⑥	⑦	○	○
C 자신이 괜찮은 사람이라고 느낄 때가 많다.	①	②	③	④	⑤	⑥	⑦	○	○

39

문항예시	응답 I							응답 II	
	전혀 아님 ◀ 보통 ▶ 매우 그러함							멀다	가깝다
A 고독을 즐기는 편이다.	①	②	③	④	⑤	⑥	⑦	○	○
B 혼자 있어도 외로움을 느낀 적이 거의 없다.	①	②	③	④	⑤	⑥	⑦	○	○
C 다양한 사람들과 사귀는 것을 즐긴다.	①	②	③	④	⑤	⑥	⑦	○	○

40

문항예시	응답 I							응답 II	
	전혀 아님 ◀ 보통 ▶ 매우 그러함							멀다	가깝다
A 금방 흥분하는 성격이다.	①	②	③	④	⑤	⑥	⑦	○	○
B 신경질적인 편이다.	①	②	③	④	⑤	⑥	⑦	○	○
C 감정을 능숙하게 다스리는 편이다.	①	②	③	④	⑤	⑥	⑦	○	○

41

문항예시	응답 I							응답 II	
	전혀 아님 ◀ 보통 ▶ 매우 그러함							멀다	가깝다
A 동료의 허술한 보고서를 보면 화가 난다.	①	②	③	④	⑤	⑥	⑦	○	○
B 무슨 일이든 철저하게 하는 것이 좋다.	①	②	③	④	⑤	⑥	⑦	○	○
C 동료들이 실수해도 이해하고 넘어가는 편이다.	①	②	③	④	⑤	⑥	⑦	○	○

42

문항예시	응답 I							응답 II	
	전혀 아님 ◀ 보통 ▶ 매우 그러함							멀다	가깝다
A 자주 생각이 바뀌는 편이다.	①	②	③	④	⑤	⑥	⑦	○	○
B 고지식하다는 말을 자주 듣는다.	①	②	③	④	⑤	⑥	⑦	○	○
C 농담을 자주하는 사람이 가벼워 보인다.	①	②	③	④	⑤	⑥	⑦	○	○

43

문항예시	응답 I							응답 II	
	전혀 아님 ◀ 보통 ▶ 매우 그러함							멀다	가깝다
A 문제를 해결하기 위해 여러 사람과 상의한다.	①	②	③	④	⑤	⑥	⑦	○	○
B 내 방식대로 일을 한다.	①	②	③	④	⑤	⑥	⑦	○	○
C 사소한 것도 사람들에게 확인하고 넘어간다.	①	②	③	④	⑤	⑥	⑦	○	○

44

문항예시	응답 I							응답 II	
	전혀 아님 ◀ 보통 ▶ 매우 그러함							멀다	가깝다
A 자신은 도움이 안 되는 사람이라고 생각한다.	①	②	③	④	⑤	⑥	⑦	○	○
B 다른 사람에게 열등감을 느낄 때가 많다.	①	②	③	④	⑤	⑥	⑦	○	○
C 자신을 존중하는 편이다.	①	②	③	④	⑤	⑥	⑦	○	○

45

문항예시	응답 I							응답 II	
	전혀 아님 ◀ 보통 ▶ 매우 그러함							멀다	가깝다
A 자기 주장이 강한 편이다.	①	②	③	④	⑤	⑥	⑦	○	○
B 대화에서는 경청하는 것이 가장 중요하다.	①	②	③	④	⑤	⑥	⑦	○	○
C 주로 다른 사람의 의견을 따르는 편이다.	①	②	③	④	⑤	⑥	⑦	○	○

46

문항예시	응답 I							응답 II	
	전혀 아님 ◀ 보통 ▶ 매우 그러함							멀다	가깝다
A 스포츠 활동에 참여하는 것을 좋아하지 않는다.	①	②	③	④	⑤	⑥	⑦	○	○
B 가까운 거리는 도보를 이용하는 편이다.	①	②	③	④	⑤	⑥	⑦	○	○
C 여유가 없어도 운동은 반드시 한다.	①	②	③	④	⑤	⑥	⑦	○	○

47

문항예시	응답 I							응답 II	
	전혀 아님 ◀ 보통 ▶ 매우 그러함							멀다	가깝다
A 야망이 있는 편이라고 생각한다.	①	②	③	④	⑤	⑥	⑦	○	○
B 일상의 여유로운 삶을 만끽하고 싶다.	①	②	③	④	⑤	⑥	⑦	○	○
C 현실과 타협한다고 느낄 때가 많다.	①	②	③	④	⑤	⑥	⑦	○	○

48

문항예시	응답 I							응답 II	
	전혀 아님 ◀ 보통 ▶ 매우 그러함							멀다	가깝다
A 대인관계에서 공격적인 타입이라고 생각한다.	①	②	③	④	⑤	⑥	⑦	○	○
B 자기 방어에 능한 편이다.	①	②	③	④	⑤	⑥	⑦	○	○
C 인간관계를 잘 하려면 손해볼 필요가 있다.	①	②	③	④	⑤	⑥	⑦	○	○

49

문항예시	응답 I							응답 II	
	전혀 아님 ◀ 보통 ▶ 매우 그러함							멀다	가깝다
A 유행에 둔감하다고 생각한다.	①	②	③	④	⑤	⑥	⑦	○	○
B 상식이 풍부한 편이다.	①	②	③	④	⑤	⑥	⑦	○	○
C 다양한 화제를 두고 대화하는 것을 즐긴다.	①	②	③	④	⑤	⑥	⑦	○	○

50

문항예시	응답 I							응답 II	
	전혀 아님 ◀ 보통 ▶ 매우 그러함							멀다	가깝다
A 노력해도 결과가 따르지 않으면 의미가 없다.	①	②	③	④	⑤	⑥	⑦	○	○
B 성과보다 최선을 다하는 태도가 더 중요하다.	①	②	③	④	⑤	⑥	⑦	○	○
C 매일 삶을 성공적으로 살기 위해 노력한다.	①	②	③	④	⑤	⑥	⑦	○	○

51

문항예시	응답 I							응답 II	
	전혀 아님 ◀ 보통 ▶ 매우 그러함							멀다	가깝다
A 특별한 꿈이나 목표가 없다.	①	②	③	④	⑤	⑥	⑦	○	○
B 성공을 위해 끊임없이 도전한다.	①	②	③	④	⑤	⑥	⑦	○	○
C 큰 업적, 목표보다 매일의 행복을 중요시한다.	①	②	③	④	⑤	⑥	⑦	○	○

52

문항예시	응답 I							응답 II	
	전혀 아님 ◀ 보통 ▶ 매우 그러함							멀다	가깝다
A 보다 새롭고 능률적인 업무방식을 추구한다.	①	②	③	④	⑤	⑥	⑦	○	○
B 특별하지는 않지만 평범한 일상이 소중하다.	①	②	③	④	⑤	⑥	⑦		○
C 같은 사물, 사건을 다르게 보는 것을 즐긴다.	①	②	③	④	⑤	⑥	⑦	○	○

53

문항예시	응답 I							응답 II	
	전혀 아님 ◀ 보통 ▶ 매우 그러함							멀다	가깝다
A 영화를 보면 등장인물의 감정에 쉽게 이입한다.	①	②	③	④	⑤	⑥	⑦	○	○
B 감성적 판단을 자제하는 편이다.	①	②	③	④	⑤	⑥	⑦	○	○
C 자신은 감성이 풍부한 사람이라고 생각한다.	①	②	③	④	⑤	⑥	⑦	○	○

54

문항예시	응답 I							응답 II	
	전혀 아님 ◀ 보통 ▶ 매우 그러함							멀다	가깝다
A 매사에 이성적인 사고를 지향한다.	①	②	③	④	⑤	⑥	⑦	○	○
B 냉철한 사람을 보면 거부감이 든다.	①	②	③	④	⑤	⑥	⑦	○	○
C 슬픔이나 감동으로 인해 눈물을 흘리기도 한다.	①	②	③	④	⑤	⑥	⑦	○	○

55

문항예시	응답 I							응답 II	
	전혀 아님 ◀ 보통 ▶ 매우 그러함							멀다	가깝다
A 힘든 문제가 와도 불안을 거의 느끼지 않는다.	①	②	③	④	⑤	⑥	⑦	○	○
B 어둡고 외진 곳은 항상 주의한다.	①	②	③	④	⑤	⑥	⑦	○	○
C 시간약속을 어기게 될까봐 불안한 적이 많다.	①	②	③	④	⑤	⑥	⑦	○	○

56

문항예시	응답 I							응답 II	
	전혀 아님 ◀ 보통 ▶ 매우 그러함							멀다	가깝다
A 다른 사람의 말에 쉽게 상처받는 편이다.	①	②	③	④	⑤	⑥	⑦	○	○
B 인간관계에 크게 신경쓰지 않는 편이다.	①	②	③	④	⑤	⑥	⑦	○	○
C 친하게 지내는 사람에게만 신경쓰는 편이다.	①	②	③	④	⑤	⑥	⑦	○	○

57

문항예시	응답 I							응답 II	
	전혀 아님 ◀ 보통 ▶ 매우 그러함							멀다	가깝다
A 쉽게 낙심하는 편이다.	①	②	③	④	⑤	⑥	⑦	○	○
B 무기력해질 때도 많다.	①	②	③	④	⑤	⑥	⑦	○	○
C 자신이 활기차고 활동적이라고 느낄 때가 많다.	①	②	③	④	⑤	⑥	⑦	○	○

58

문항예시	응답 I							응답 II	
	전혀 아님 ◀ 보통 ▶ 매우 그러함							멀다	가깝다
A 낙천적인 편이다.	①	②	③	④	⑤	⑥	⑦	○	○
B 실패를 즐길 수 있다.	①	②	③	④	⑤	⑥	⑦	○	○
C 예전의 실수들이 떠올라 괴로울 때도 있다.	①	②	③	④	⑤	⑥	⑦	○	○

59

문항예시	응답 I							응답 II	
	전혀 아님 ◀ 보통 ▶ 매우 그러함							멀다	가깝다
A 자신이 영업에 적합한 타입이라고 생각한다.	①	②	③	④	⑤	⑥	⑦	○	○
B 낯선 사람과의 대화에 능한 편이다.	①	②	③	④	⑤	⑥	⑦	○	○
C 대인관계에 부담을 느낄 때도 있다.	①	②	③	④	⑤	⑥	⑦	○	○

60

문항예시	응답 I							응답 II	
	전혀 아님 ◀ 보통 ▶ 매우 그러함							멀다	가깝다
A 자신이 LG전자에 합격할 것이라고 생각한다.	①	②	③	④	⑤	⑥	⑦	○	○
B 경쟁자들에 비해 많이 부족하다고 생각한다.	①	②	③	④	⑤	⑥	⑦	○	○
C 합격하지 못해도 좋은 경험이라고 생각한다.	①	②	③	④	⑤	⑥	⑦	○	○

61

문항예시	응답 I							응답 II	
	전혀 아님 ◀ 보통 ▶ 매우 그러함							멀다	가깝다
A 시끄럽게 짖는 개에게는 폭력을 쓰고 싶다.	①	②	③	④	⑤	⑥	⑦	○	○
B 무례한 사람을 보면 화가 날 때가 많다.	①	②	③	④	⑤	⑥	⑦	○	○
C 사소한 일로 지인들과 다투기도 한다.	①	②	③	④	⑤	⑥	⑦	○	○

62

문항예시	응답 I							응답 II	
	전혀 아님 ◀ 보통 ▶ 매우 그러함							멀다	가깝다
A 살아오면서 언성을 크게 높인 적이 거의 없다.	①	②	③	④	⑤	⑥	⑦	○	○
B 항상 조용한 편이다.	①	②	③	④	⑤	⑥	⑦	○	○
C 피곤할 때 가끔 주변 사람들에게 신경질을 낸다.	①	②	③	④	⑤	⑥	⑦	○	○

63

문항예시	응답 I							응답 II	
	전혀 아님 ◀ 보통 ▶ 매우 그러함							멀다	가깝다
A 사이코패스 영화를 찾아보곤 한다.	①	②	③	④	⑤	⑥	⑦	○	○
B 토막살인 등 잔인한 뉴스를 접해도 무감각하다.	①	②	③	④	⑤	⑥	⑦	○	○
C 가축은 직접 도살할 수 있을 것 같다.	①	②	③	④	⑤	⑥	⑦	○	○

64

문항예시	응답 I							응답 II	
	전혀 아님 ◀ 보통 ▶ 매우 그러함							멀다	가깝다
A 학창시절 늦잠을 자서 지각한 적이 많다.	①	②	③	④	⑤	⑥	⑦	○	○
B 아침형 인간이라는 평을 듣는다.	①	②	③	④	⑤	⑥	⑦	○	○
C 부지런하다는 평을 자주 듣는다.	①	②	③	④	⑤	⑥	⑦	○	○

65

문항예시	응답 I							응답 II	
	전혀 아님 ◀ 보통 ▶ 매우 그러함							멀다	가깝다
A 혼자 일하는 것이 같이하는 것보다 능률적이다.	①	②	③	④	⑤	⑥	⑦	○	○
B 업무를 진행할 시 팀워크가 가장 중요하다.	①	②	③	④	⑤	⑥	⑦	○	○
C 동료와 함께 업무를 진행하는 것이 즐겁다.	①	②	③	④	⑤	⑥	⑦	○	○

66

문항예시	응답 I							응답 II	
	전혀 아님 ◀ 보통 ▶ 매우 그러함							멀다	가깝다
A 자주 샤워하는 편이다.	①	②	③	④	⑤	⑥	⑦	○	○
B 잘 씻지 않는 사람을 보면 불쾌하다.	①	②	③	④	⑤	⑥	⑦	○	○
C 방 청소를 잘 하지 않는 편이다.	①	②	③	④	⑤	⑥	⑦	○	○

67

문항예시	응답 I							응답 II	
	전혀 아님 ◀ 보통 ▶ 매우 그러함							멀다	가깝다
A 자신을 험담하는 것을 들으면 참을 수 없다.	①	②	③	④	⑤	⑥	⑦	○	○
B 타인의 평가에 그다지 민감하지 않다.	①	②	③	④	⑤	⑥	⑦	○	○
C 타인의 평가를 참고하여 발전할 것을 다짐한다.	①	②	③	④	⑤	⑥	⑦	○	○

68

문항예시	응답 I							응답 II	
	전혀 아님 ◀ 보통 ▶ 매우 그러함							멀다	가깝다
A 착한 사람이라는 말을 자주 듣는다.	①	②	③	④	⑤	⑥	⑦	○	○
B 남에게 아쉬운 말을 잘 못한다.	①	②	③	④	⑤	⑥	⑦	○	○
C 당당한 사람을 부러워한다.	①	②	③	④	⑤	⑥	⑦	○	○

69

문항예시	응답 I							응답 II	
	전혀 아님 ◀ 보통 ▶ 매우 그러함							멀다	가깝다
A 한 번 화를 내면 기분이 쉽게 풀리지 않는다.	①	②	③	④	⑤	⑥	⑦	○	○
B 음악을 들으면 쉽게 리듬에 취하는 편이다.	①	②	③	④	⑤	⑥	⑦	○	○
C 자신은 감정이 메마른 사람이라고 생각한다.	①	②	③	④	⑤	⑥	⑦	○	○

70

문항예시	응답 I							응답 II	
	전혀 아님 ◀ 보통 ▶ 매우 그러함							멀다	가깝다
A 약속을 어기는 일은 절대로 있을 수가 없다.	①	②	③	④	⑤	⑥	⑦	○	○
B 약속을 소홀히 하는 사람을 보면 화가 난다.	①	②	③	④	⑤	⑥	⑦	○	○
C 약속 시간 전에 약속장소에 도착한다.	①	②	③	④	⑤	⑥	⑦	○	○

71

문항예시	응답 I							응답 II	
	전혀 아님 ◀ 보통 ▶ 매우 그러함							멀다	가깝다
A 한두시간 공부로는 실력이 크게 늘지 않는다.	①	②	③	④	⑤	⑥	⑦	○	○
B 단 5분의 빈 시간이라도 발전적인 일을 한다.	①	②	③	④	⑤	⑥	⑦	○	○
C 재능보다 노력이 중요하다.	①	②	③	④	⑤	⑥	⑦	○	○

72

문항예시	응답 I							응답 II	
	전혀 아님 ◀ 보통 ▶ 매우 그러함							멀다	가깝다
A 팀 과제의 결과가 나쁜 것은 자신의 잘못이다.	①	②	③	④	⑤	⑥	⑦	○	○
B 자신을 책망할 때가 많다.	①	②	③	④	⑤	⑥	⑦	○	○
C 자신의 잘못을 반성하고 발전하기 위해 애쓴다.	①	②	③	④	⑤	⑥	⑦	○	○

73

문항예시	응답 I							응답 II	
	전혀 아님 ◀ 보통 ▶ 매우 그러함							멀다	가깝다
A 다른 사람이 자신을 비난해도 기분나쁘지 않다.	①	②	③	④	⑤	⑥	⑦	○	○
B 타인의 평가에 민감한 편이다.	①	②	③	④	⑤	⑥	⑦	○	○
C 자신을 향한 비난도 참고한다.	①	②	③	④	⑤	⑥	⑦	○	○

74

문항예시	응답 I							응답 II	
	전혀 아님 ◀ 보통 ▶ 매우 그러함							멀다	가깝다
A 과거에 공부를 열심히 하지 못한 것이 아쉽다.	①	②	③	④	⑤	⑥	⑦	○	○
B 실수를 해서 잠을 제대로 자지 못한 적이 많다.	①	②	③	④	⑤	⑥	⑦	○	○
C 큰 실수나 아픔도 쉽게 잊는 편이다.	①	②	③	④	⑤	⑥	⑦	○	○

75

문항예시	응답 I							응답 II	
	전혀 아님 ◀ 보통 ▶ 매우 그러함							멀다	가깝다
A 자신과의 약속을 쉽게 어긴다.	①	②	③	④	⑤	⑥	⑦	○	○
B 목표를 정하고 끈기있게 노력하는 편이다.	①	②	③	④	⑤	⑥	⑦	○	○
C 꾸준히 노력하는 삶을 지향한다.	①	②	③	④	⑤	⑥	⑦	○	○

76

문항예시	응답 I							응답 II	
	전혀 아님 ◀ 보통 ▶ 매우 그러함							멀다	가깝다
A 작은 일이라도 쉽게 결정하는 것은 어리석다.	①	②	③	④	⑤	⑥	⑦	○	○
B 타인의 의견에서 중요한 힌트를 자주 얻는다.	①	②	③	④	⑤	⑥	⑦	○	○
C 타인의 의견에 의해 결정이 바뀌는 경우가 많다.	①	②	③	④	⑤	⑥	⑦	○	○

77

문항예시	응답 I							응답 II	
	전혀 아님 ◀ 보통 ▶ 매우 그러함							멀다	가깝다
A 자신의 생각과 행동을 신뢰하는 편이다.	①	②	③	④	⑤	⑥	⑦	○	○
B 반대의견은 참고의 대상일 뿐이다.	①	②	③	④	⑤	⑥	⑦	○	○
C 자신이 추진한 일의 결과가 만족스러운 편이다.	①	②	③	④	⑤	⑥	⑦	○	○

78

문항예시	응답 I							응답 II	
	전혀 아님 ◀ 보통 ▶ 매우 그러함							멀다	가깝다
A 운동을 즐기는 편이다.	①	②	③	④	⑤	⑥	⑦	○	○
B 땀 흘리는 것을 싫어한다.	①	②	③	④	⑤	⑥	⑦	○	○
C 몸보다 머리를 쓰는 활동을 주로 하고 싶다.	①	②	③	④	⑤	⑥	⑦	○	○

79

문항예시	응답 I							응답 II	
	전혀 아님 ◀ 보통 ▶ 매우 그러함							멀다	가깝다
A 순간 떠오르는 아이디어를 자주 활용한다.	①	②	③	④	⑤	⑥	⑦	○	○
B 객관적 분석없이 일을 진행하는 것은 어리석다.	①	②	③	④	⑤	⑥	⑦	○	○
C 주관적인 판단을 절대 신뢰하지 않는다.	①	②	③	④	⑤	⑥	⑦	○	○

80

문항예시	응답 I							응답 II	
	전혀 아님 ◀ 보통 ▶ 매우 그러함							멀다	가깝다
A 상상력과 호기심이 많은 편이다.	①	②	③	④	⑤	⑥	⑦	○	○
B 판타지 영화, 가상의 세계가 매우 흥미롭다.	①	②	③	④	⑤	⑥	⑦	○	○
C 비현실적인 것에 시간을 허비하지 않는다.	①	②	③	④	⑤	⑥	⑦	○	○

81

문항예시	응답 I							응답 II	
	전혀 아님 ◀ 보통 ▶ 매우 그러함							멀다	가깝다
A 논쟁할 때 자신보다 타인의 주장에 신경쓴다.	①	②	③	④	⑤	⑥	⑦	○	○
B 논쟁할 때 상대방의 입장을 이해하려고 애쓴다.	①	②	③	④	⑤	⑥	⑦	○	○
C 자신의 주장을 확실하게 드러내는 편이다.	①	②	③	④	⑤	⑥	⑦	○	○

82

문항예시	응답 I							응답 II	
	전혀 아님 ◀ 보통 ▶ 매우 그러함							멀다	가깝다
A 지저분한 책상에서는 공부가 안 된다.	①	②	③	④	⑤	⑥	⑦	○	○
B 자신의 방의 물건은 항상 제자리에 있어야 한다.	①	②	③	④	⑤	⑥	⑦	○	○
C 청결에 항상 신경쓰는 편이다.	①	②	③	④	⑤	⑥	⑦	○	○

83

문항예시	응답 I							응답 II	
	전혀 아님 ◀ 보통 ▶ 매우 그러함							멀다	가깝다
A 자신이 하찮게 느껴질 때가 많다.	①	②	③	④	⑤	⑥	⑦	○	○
B 자신이 자랑스러운 적이 많다.	①	②	③	④	⑤	⑥	⑦	○	○
C 다른 사람들에게 인정받고 있다.	①	②	③	④	⑤	⑥	⑦	○	○

84

문항예시	응답 I							응답 II	
	전혀 아님 ◀ 보통 ▶ 매우 그러함							멀다	가깝다
A 입사시험을 제대로 치를 수 있을 지 걱정된다.	①	②	③	④	⑤	⑥	⑦	○	○
B 입사 후에 제대로 적응할 수 있을지 걱정된다.	①	②	③	④	⑤	⑥	⑦	○	○
C 지금 마음이 편안하다.	①	②	③	④	⑤	⑥	⑦	○	○

85

문항예시	응답 I							응답 II	
	전혀 아님 ◀ 보통 ▶ 매우 그러함							멀다	가깝다
A 창의적인 분야에 도전해 보고 싶다.	①	②	③	④	⑤	⑥	⑦	○	○
B 창조성이 떨어지는 편이다.	①	②	③	④	⑤	⑥	⑦	○	○
C 기발한 아이디어가 종종 떠오른다.	①	②	③	④	⑤	⑥	⑦	○	○

86

문항예시	응답 I							응답 II	
	전혀 아님 ◀ 보통 ▶ 매우 그러함							멀다	가깝다
A 정형화된 업무방식을 선호한다.	①	②	③	④	⑤	⑥	⑦	○	○
B 창의와 혁신은 위험이 많이 따른다고 생각한다.	①	②	③	④	⑤	⑥	⑦	○	○
C 안정적인 삶을 선호한다.	①	②	③	④	⑤	⑥	⑦	○	○

87

문항예시	응답 I							응답 II	
	전혀 아님 ◀ 보통 ▶ 매우 그러함							멀다	가깝다
A 친구들에게 모욕을 당하면 화가 난다.	①	②	③	④	⑤	⑥	⑦	○	○
B 남이 자신에게 화를 낼 수도 있다고 생각한다.	①	②	③	④	⑤	⑥	⑦	○	○
C 비난받지 않도록 무슨 일이든 잘 할 것이다.	①	②	③	④	⑤	⑥	⑦	○	○

88

문항예시	응답 I							응답 II	
	전혀 아님 ◀ 보통 ▶ 매우 그러함							멀다	가깝다
A 나에게 꼭 필요한 사람들만 만나고 싶다.	①	②	③	④	⑤	⑥	⑦	○	○
B 모든 사람에게 잘할 필요는 없다.	①	②	③	④	⑤	⑥	⑦	○	○
C 폭넓은 인간관계를 가지는 것이 중요하다.	①	②	③	④	⑤	⑥	⑦	○	○

89

문항예시	응답 I							응답 II	
	전혀 아님 ◀ 보통 ▶ 매우 그러함							멀다	가깝다
A 절제력이 약한 편이다.	①	②	③	④	⑤	⑥	⑦	○	○
B 자기 컨트롤에 능한 편이다.	①	②	③	④	⑤	⑥	⑦	○	○
C 재미있는 일에 몰두하느라 시간가는 줄 모른다.	①	②	③	④	⑤	⑥	⑦	○	○

90

문항예시	응답 I							응답 II	
	전혀 아님 ◀ 보통 ▶ 매우 그러함							멀다	가깝다
A 인정받기 위해 애쓴다.	①	②	③	④	⑤	⑥	⑦	○	○
B 자신의 능력을 타인에게 보여주고 싶다.	①	②	③	④	⑤	⑥	⑦	○	○
C 자신의 약한 모습을 절대 들키고 싶지 않다.	①	②	③	④	⑤	⑥	⑦		○

91

문항예시	응답 I							응답 II	
	전혀 아님 ◀ 보통 ▶ 매우 그러함							멀다	가깝다
A 공부든 일이든 노력한 만큼 보상받지 못했다.	①	②	③	④	⑤	⑥	⑦	○	○
B 노력한 만큼 그 결과가 반드시 따라왔다.	①	②	③	④	⑤	⑥	⑦	○	○
C 인생은 불공평하다.	①	②	③	④	⑤	⑥	⑦	○	○

92

문항예시	응답 I							응답 II	
	전혀 아님 ◀ 보통 ▶ 매우 그러함							멀다	가깝다
A 이성 교제 경험이 많은 편이다.	①	②	③	④	⑤	⑥	⑦	○	○
B 한 이성을 오랫동안 사귀는 편이다.	①	②	③	④	⑤	⑥	⑦	○	○
C 이성과의 교제에 별로 관심이 없다.	①	②	③	④	⑤	⑥	⑦	○	○

93

문항예시	응답 I							응답 II	
	전혀 아님 ◀ 보통 ▶ 매우 그러함							멀다	가깝다
A 자신이 혼자라서 외롭다고 느낄 때가 있다.	①	②	③	④	⑤	⑥	⑦	○	○
B 죽음을 생각한 적이 있다.	①	②	③	④	⑤	⑥	⑦	○	○
C 매순간의 삶이 즐겁고 소중하다.	①	②	③	④	⑤	⑥	⑦	○	○

94

문항예시	응답 I							응답 II	
	전혀 아님 ◀ 보통 ▶ 매우 그러함							멀다	가깝다
A 기분이 가라앉을 때가 많다.	①	②	③	④	⑤	⑥	⑦	○	○
B 현실은 죽음과 고통이 많은 슬픈 곳이다.	①	②	③	④	⑤	⑥	⑦	○	○
C 삶이 힘들다고 느낄 때가 많다.	①	②	③	④	⑤	⑥	⑦	○	○

95

문항예시	응답 I							응답 II	
	전혀 아님 ◀ 보통 ▶ 매우 그러함							멀다	가깝다
A 강요당하는 것을 싫어한다.	①	②	③	④	⑤	⑥	⑦	○	○
B 관습을 타파해야 발전할 수 있다.	①	②	③	④	⑤	⑥	⑦	○	○
C 비합리적이라도 공동체의 규칙을 존중한다.	①	②	③	④	⑤	⑥	⑦	○	○

96

문항예시	응답 I							응답 II	
	전혀 아님 ◀ 보통 ▶ 매우 그러함							멀다	가깝다
A 우연은 없다고 생각한다.	①	②	③	④	⑤	⑥	⑦	○	○
B 보이지 않는 힘이 자신의 인생을 좌우한다.	①	②	③	④	⑤	⑥	⑦	○	○
C 자신의 인생을 스스로 개척해 왔다.	①	②	③	④	⑤	⑥	⑦	○	○

97

문항예시	응답 I							응답 II	
	전혀 아님 ◀ 보통 ▶ 매우 그러함							멀다	가깝다
A 자신의 종교사상이 진리라고 생각한다.	①	②	③	④	⑤	⑥	⑦	○	○
B 타인의 종교에 대해서 배타적인 편이다.	①	②	③	④	⑤	⑥	⑦	○	○
C 모든 종교는 허구라고 생각한다.	①	②	③	④	⑤	⑥	⑦	○	○

98

문항예시	응답 I							응답 II	
	전혀 아님 ◀ 보통 ▶ 매우 그러함							멀다	가깝다
A 보이지 않는 것은 믿을 수 없다.	①	②	③	④	⑤	⑥	⑦	○	○
B 합리적인 이성에 의해 세상은 모두 설명된다.	①	②	③	④	⑤	⑥	⑦	○	○
C 인간의 능력으로 알 수 없는 것이 많다.	①	②	③	④	⑤	⑥	⑦	○	○

99

문항예시	응답 I							응답 II	
	전혀 아님 ◀ 보통 ▶ 매우 그러함							멀다	가깝다
A 이유없이 자신을 때린다면 즉시 반격할 것이다.	①	②	③	④	⑤	⑥	⑦	○	○
B 자신이 타인에게 공격당해도 참는다.	①	②	③	④	⑤	⑥	⑦	○	○
C 타인에게 공격당한다면 후에 되돌려 줄 것이다.	①	②	③	④	⑤	⑥	⑦	○	○

100

문항예시	응답 I							응답 II	
	전혀 아님 ◀ 보통 ▶ 매우 그러함							멀다	가깝다
A 주위의 모든 학생이 경쟁자였다.	①	②	③	④	⑤	⑥	⑦	○	○
B 자기 자신과의 싸움을 즐긴다.	①	②	③	④	⑤	⑥	⑦	○	○
C 특별히 누구를 경쟁상대로 생각한 적이 없다.	①	②	③	④	⑤	⑥	⑦	○	○

101

문항예시	응답 I							응답 II	
	전혀 아님 ◀ 보통 ▶ 매우 그러함							멀다	가깝다
A 성공하고 싶다.	①	②	③	④	⑤	⑥	⑦	○	○
B 발전하지 않으면 실패할 것이다.	①	②	③	④	⑤	⑥	⑦	○	○
C 성공에 매달리는 것은 어리석은 삶이다.	①	②	③	④	⑤	⑥	⑦	○	○

102

문항예시	응답 I							응답 II	
	전혀 아님 ◀ 보통 ▶ 매우 그러함							멀다	가깝다
A 세상은 아름다운 곳이다.	①	②	③	④	⑤	⑥	⑦	○	○
B 삶의 즐거움을 느낄 때가 많다.	①	②	③	④	⑤	⑥	⑦	○	○
C 비정한 약육강식의 법칙이 세상을 지배한다.	①	②	③	④	⑤	⑥	⑦	○	○

103

문항예시	응답 I							응답 II	
	전혀 아님 ◀ 보통 ▶ 매우 그러함							멀다	가깝다
A 작은 일도 많이 고심한 후에 결정한다.	①	②	③	④	⑤	⑥	⑦	○	○
B 쉽게 결정해버리면 실패할 것이다.	①	②	③	④	⑤	⑥	⑦	○	○
C 정확한 것도 중요하지만 신속성이 더 중요하다.	①	②	③	④	⑤	⑥	⑦	○	○

104

문항예시	응답 I							응답 II	
	전혀 아님 ◀ 보통 ▶ 매우 그러함							멀다	가깝다
A 계획적인 삶이야말로 이상적인 삶이다.	①	②	③	④	⑤	⑥	⑦	○	○
B 계획하지 않은 일이 일어나면 당황스럽다.	①	②	③	④	⑤	⑥	⑦	○	○
C 계획대로 되는 일은 많지 않다.	①	②	③	④	⑤	⑥	⑦	○	○

105

문항예시	응답 I							응답 II	
	전혀 아님 ◀ 보통 ▶ 매우 그러함							멀다	가깝다
A 보고서 작성 시 하나의 오타도 용납할 수 없다.	①	②	③	④	⑤	⑥	⑦	○	○
B 완벽한 일처리를 위해 노력한다.	①	②	③	④	⑤	⑥	⑦	○	○
C 어떤 일을 완벽하게 처리하는 것은 불가능하다.	①	②	③	④	⑤	⑥	⑦	○	○

106

문항예시	응답 I							응답 II	
	전혀 아님 ◀ 보통 ▶ 매우 그러함							멀다	가깝다
A 더러운 사람이 매우 싫다.	①	②	③	④	⑤	⑥	⑦	○	○
B 너무 깔끔하게 할 필요는 없다.	①	②	③	④	⑤	⑥	⑦	○	○
C 적당하게 청결을 유지하는 것이 좋다.	①	②	③	④	⑤	⑥	⑦	○	○

107

문항예시	응답 Ⅰ							응답 Ⅱ	
	전혀 아님 ◀ 보통 ▶ 매우 그러함							멀다	가깝다
A 친구들이 자신을 싫어하는 편이다.	①	②	③	④	⑤	⑥	⑦	○	○
B 사람들이 자신을 싫어하지만 내색하지 않는다.	①	②	③	④	⑤	⑥	⑦	○	○
C 자신에 대한 타인의 생각에 관심이 없다.	①	②	③	④	⑤	⑥	⑦	○	○

108

문항예시	응답 Ⅰ							응답 Ⅱ	
	전혀 아님 ◀ 보통 ▶ 매우 그러함							멀다	가깝다
A 팀워크보다 개개인의 능력 발휘가 더 중요하다.	①	②	③	④	⑤	⑥	⑦	○	○
B 팀프로젝트에서 가장 중요한 것은 팀워크다.	①	②	③	④	⑤	⑥	⑦	○	○
C 손해를 보더라도 동료에게 양보할 수 있다.	①	②	③	④	⑤	⑥	⑦	○	○

109

문항예시	응답 Ⅰ							응답 Ⅱ	
	전혀 아님 ◀ 보통 ▶ 매우 그러함							멀다	가깝다
A 낯선 사람과 대화할 때 부끄러움을 느낀다.	①	②	③	④	⑤	⑥	⑦	○	○
B 낯선 사람에게 길을 물어보기가 꺼려진다.	①	②	③	④	⑤	⑥	⑦	○	○
C 처음 보는 사람과도 친해질 자신이 있다.	①	②	③	④	⑤	⑥	⑦	○	○

110

문항예시	응답 Ⅰ							응답 Ⅱ	
	전혀 아님 ◀ 보통 ▶ 매우 그러함							멀다	가깝다
A 자신이 가진 조건이 실망스럽다.	①	②	③	④	⑤	⑥	⑦	○	○
B 더 나은 삶을 살고 싶다.	①	②	③	④	⑤	⑥	⑦	○	○
C 지금 자신의 모습과 주변환경이 만족스럽다.	①	②	③	④	⑤	⑥	⑦	○	○

111

문항예시	응답 I							응답 II	
	전혀 아님 ◀ 보통 ▶ 매우 그러함							멀다	가깝다
A 입사시험에서 합격할 것 같다.	①	②	③	④	⑤	⑥	⑦	○	○
B 입사시험에 합격하기 어려울 것 같다.	①	②	③	④	⑤	⑥	⑦	○	○
C 합격, 불합격을 떠나서 최선을 다하고 싶다.	①	②	③	④	⑤	⑥	⑦	○	○

112

문항예시	응답 I							응답 II	
	전혀 아님 ◀ 보통 ▶ 매우 그러함							멀다	가깝다
A 자신의 감정을 잘 표현하지 않는 편이다.	①	②	③	④	⑤	⑥	⑦	○	○
B 감정을 무조건 절제만 하는 것은 좋지 않다.	①	②	③	④	⑤	⑥	⑦	○	○
C 자신의 감정을 확실히 표출하는 편이다.	①	②	③	④	⑤	⑥	⑦	○	○

113

문항예시	응답 I							응답 II	
	전혀 아님 ◀ 보통 ▶ 매우 그러함							멀다	가깝다
A 말수가 적은 편이다.	①	②	③	④	⑤	⑥	⑦	○	○
B 지인들과 대화를 많이 하는 편이다.	①	②	③	④	⑤	⑥	⑦	○	○
C 즐거운 대화는 삶을 더욱 풍요롭게 한다.	①	②	③	④	⑤	⑥	⑦	○	○

114

문항예시	응답 I							응답 II	
	전혀 아님 ◀ 보통 ▶ 매우 그러함							멀다	가깝다
A 다수의 의견을 존중해야 한다.	①	②	③	④	⑤	⑥	⑦	○	○
B 모두 찬성해도 자신만 반대의견을 낼 수 있다.	①	②	③	④	⑤	⑥	⑦	○	○
C 자신의 목소리를 크게 내는 것은 좋지 않다.	①	②	③	④	⑤	⑥	⑦	○	○

115

문항예시	응답 I							응답 II	
	전혀 아님 ◀ 보통 ▶ 매우 그러함							멀다	가깝다
A 승부근성이 강한 편이다.	①	②	③	④	⑤	⑥	⑦	○	○
B 타인과의 경쟁에 크게 관심이 없다.	①	②	③	④	⑤	⑥	⑦	○	○
C 경쟁자들 보다 훨씬 앞서 나가고 싶다.	①	②	③	④	⑤	⑥	⑦	○	○

116

문항예시	응답 I							응답 II	
	전혀 아님 ◀ 보통 ▶ 매우 그러함							멀다	가깝다
A 악의를 가지고 거짓말 한 적이 없다.	①	②	③	④	⑤	⑥	⑦	○	○
B 잘못을 감추기 위해 거짓말을 할 수 있다.	①	②	③	④	⑤	⑥	⑦	○	○
C 자신을 위해 타인의 실수를 부풀릴 수 있다.	①	②	③	④	⑤	⑥	⑦	○	○

117

문항예시	응답 I							응답 II	
	전혀 아님 ◀ 보통 ▶ 매우 그러함							멀다	가깝다
A 정직한 사람은 어디서든 성공할 것이다.	①	②	③	④	⑤	⑥	⑦	○	○
B 상황에 따라서 적당한 거짓말도 필요하다.	①	②	③	④	⑤	⑥	⑦	○	○
C 어떤 상황에서든지 정직이 최선이다.	①	②	③	④	⑤	⑥	⑦	○	○

118

문항예시	응답 I							응답 II	
	전혀 아님 ◀ 보통 ▶ 매우 그러함							멀다	가깝다
A 결혼식 때 친구들이 많이 올 것이다.	①	②	③	④	⑤	⑥	⑦	○	○
B 평소에 친구들을 많이 만나는 편이다.	①	②	③	④	⑤	⑥	⑦	○	○
C 많은 친구들을 만나는 것은 시간 낭비다.	①	②	③	④	⑤	⑥	⑦	○	○

119

문항예시	응답 I							응답 II	
	전혀 아님 ◀ 보통 ▶ 매우 그러함							멀다	가깝다
A 싫어하는 사람이 없다.	①	②	③	④	⑤	⑥	⑦	○	○
B 특별히 싫은 유형의 사람이 있다.	①	②	③	④	⑤	⑥	⑦	○	○
C 특별히 좋은 사람도 없고 싫은 사람도 없다.	①	②	③	④	⑤	⑥	⑦	○	○

120

문항예시	응답 I							응답 II	
	전혀 아님 ◀ 보통 ▶ 매우 그러함							멀다	가깝다
A 지인의 사소한 충고도 신경 쓰인다.	①	②	③	④	⑤	⑥	⑦	○	○
B 타인의 말이 마음에 남을 때가 많다.	①	②	③	④	⑤	⑥	⑦	○	○
C 자신에게 상처주는 말을 하는 사람이 많다.	①	②	③	④	⑤	⑥	⑦	○	○

121

문항예시	응답 I							응답 II	
	전혀 아님 ◀ 보통 ▶ 매우 그러함							멀다	가깝다
A 흐린 날에는 반드시 우산을 가지고 간다.	①	②	③	④	⑤	⑥	⑦	○	○
B 중요한 일은 밤을 새워서 준비한다.	①	②	③	④	⑤	⑥	⑦	○	○
C 준비성이 철저한 편은 아니다.	①	②	③	④	⑤	⑥	⑦	○	○

122

문항예시	응답 I							응답 II	
	전혀 아님 ◀ 보통 ▶ 매우 그러함							멀다	가깝다
A 타인의 생명을 위해 목숨을 내놓을 수 있다.	①	②	③	④	⑤	⑥	⑦	○	○
B 뉴스의 대형사고 소식을 접하면 안타깝다.	①	②	③	④	⑤	⑥	⑦	○	○
C 타인의 불행에 무감각한 편이다.	①	②	③	④	⑤	⑥	⑦	○	○

123

문항예시	응답 I							응답 II	
	전혀 아님 ◀ 보통 ▶ 매우 그러함							멀다	가깝다
A 불합리한 일을 당해도 참는 것이 좋다.	①	②	③	④	⑤	⑥	⑦	○	○
B 상사가 사적인 일을 지시해도 수행한다.	①	②	③	④	⑤	⑥	⑦	○	○
C 조직의 불합리한 관행은 고쳐져야 한다.	①	②	③	④	⑤	⑥	⑦	○	○

124

문항예시	응답 I							응답 II	
	전혀 아님 ◀ 보통 ▶ 매우 그러함							멀다	가깝다
A 특별히 열정을 가지고 하는 일이 있다.	①	②	③	④	⑤	⑥	⑦	○	○
B 가끔 자신의 삶이 무미건조하게 느껴진다.	①	②	③	④	⑤	⑥	⑦	○	○
C 매사가 흥미롭다.	①	②	③	④	⑤	⑥	⑦	○	○

125

문항예시	응답 I							응답 II	
	전혀 아님 ◀ 보통 ▶ 매우 그러함							멀다	가깝다
A 특별한 취미가 없다.	①	②	③	④	⑤	⑥	⑦	○	○
B 일을 하느라고 취미생활을 할 여유가 없다.	①	②	③	④	⑤	⑥	⑦	○	○
C 자신만의 독특한 취미를 가지고 있다.	①	②	③	④	⑤	⑥	⑦	○	○

126

문항예시	응답 I							응답 II	
	전혀 아님 ◀ 보통 ▶ 매우 그러함							멀다	가깝다
A 건강을 위해 많은 노력을 하고 있다.	①	②	③	④	⑤	⑥	⑦	○	○
B 운동을 매일 하는 편이다.	①	②	③	④	⑤	⑥	⑦	○	○
C 비교적 체력이 약한 편이다.	①	②	③	④	⑤	⑥	⑦	○	○

127

문항예시	응답 I							응답 II	
	전혀 아님 ◀ 보통 ▶ 매우 그러함							멀다	가깝다
A 새로운 지식을 얻는 것은 즐거운 일이다.	①	②	③	④	⑤	⑥	⑦	○	○
B 독서를 즐긴다.	①	②	③	④	⑤	⑥	⑦	○	○
C 특별히 관심을 가지고 배우는 분야가 있다.	①	②	③	④	⑤	⑥	⑦	○	○

128

문항예시	응답 I							응답 II	
	전혀 아님 ◀ 보통 ▶ 매우 그러함							멀다	가깝다
A 새해 계획대로 아직 실천하고 있다.	①	②	③	④	⑤	⑥	⑦	○	○
B 계속 계획을 세우지만 실천하기 어렵다.	①	②	③	④	⑤	⑥	⑦	○	○
C 매일 일정을 계획하고 준비한다.	①	②	③	④	⑤	⑥	⑦	○	○

129

문항예시	응답 I							응답 II	
	전혀 아님 ◀ 보통 ▶ 매우 그러함							멀다	가깝다
A 영어 외에 다른 외국어 학습에도 관심이 많다.	①	②	③	④	⑤	⑥	⑦	○	○
B 전공, 관심사에 대한 해외자료를 수집한다.	①	②	③	④	⑤	⑥	⑦	○	○
C 직, 간접적인 해외 경험이 거의 없다.	①	②	③	④	⑤	⑥	⑦	○	○

130

문항예시	응답 I							응답 II	
	전혀 아님 ◀ 보통 ▶ 매우 그러함							멀다	가깝다
A 감정이 얼굴에 잘 드러나지 않는다.	①	②	③	④	⑤	⑥	⑦	○	○
B 자신이 냉철한 편이라고 생각한다.	①	②	③	④	⑤	⑥	⑦	○	○
C 쉽게 흥분하는 경향이 있다.	①	②	③	④	⑤	⑥	⑦	○	○

131

문항예시	응답 I							응답 II	
	전혀 아님 ◀ 보통 ▶ 매우 그러함							멀다	가깝다
A 좋지 않은 말은 직접적으로 하지 않는다.	①	②	③	④	⑤	⑥	⑦	○	○
B 하고 싶은 말은 반드시 하는 편이다.	①	②	③	④	⑤	⑥	⑦	○	○
C 억울한 일이 있어도 해명하지 않는 편이다.	①	②	③	④	⑤	⑥	⑦	○	○

132

문항예시	응답 I							응답 II	
	전혀 아님 ◀ 보통 ▶ 매우 그러함							멀다	가깝다
A 학창시절 임원을 주로 했다.	①	②	③	④	⑤	⑥	⑦	○	○
B 다수의 청중 앞에 선 경험이 많다.	①	②	③	④	⑤	⑥	⑦	○	○
C 모임에서 사람들을 리드한 경험이 많지 않다.	①	②	③	④	⑤	⑥	⑦	○	○

133

문항예시	응답 I							응답 II	
	전혀 아님 ◀ 보통 ▶ 매우 그러함							멀다	가깝다
A 실패한 경험이 많다.	①	②	③	④	⑤	⑥	⑦	○	○
B 작은 경험이지만 성공한 적이 많다.	①	②	③	④	⑤	⑥	⑦	○	○
C 성공보다 중요한 게 도전이라고 생각한다.	①	②	③	④	⑤	⑥	⑦	○	○

134

문항예시	응답 I							응답 II	
	전혀 아님 ◀ 보통 ▶ 매우 그러함							멀다	가깝다
A 불가능해 보이는 일은 시작하지 않는다.	①	②	③	④	⑤	⑥	⑦	○	○
B 불가능해 보여도 필요하다면 도전해 본다.	①	②	③	④	⑤	⑥	⑦	○	○
C 철저히 분석하여 가능성 있는 일만 착수한다.	①	②	③	④	⑤	⑥	⑦	○	○

135

문항예시	응답 I							응답 II	
	전혀 아님 ◀ 보통 ▶ 매우 그러함							멀다	가깝다
A 시간 약속을 어기는 사람을 싫어한다.	①	②	③	④	⑤	⑥	⑦	○	○
B 시간 약속을 지키지 못하면 스트레스를 받는다.	①	②	③	④	⑤	⑥	⑦	○	○
C 어떤 경우라도 시간을 지키기 위해 노력한다.	①	②	③	④	⑤	⑥	⑦	○	○

136

문항예시	응답 I							응답 II	
	전혀 아님 ◀ 보통 ▶ 매우 그러함							멀다	가깝다
A 공부든 일이든 즐기면서 하는 편이다.	①	②	③	④	⑤	⑥	⑦	○	○
B 힘든 일도 즐겁게 할 수 있다고 생각한다.	①	②	③	④	⑤	⑥	⑦	○	○
C 일은 절대로 즐거운 놀이가 될 수 없다.	①	②	③	④	⑤	⑥	⑦	○	○

137

문항예시	응답 I							응답 II	
	전혀 아님 ◀ 보통 ▶ 매우 그러함							멀다	가깝다
A 남의 불행을 보면 가슴 아프다.	①	②	③	④	⑤	⑥	⑦	○	○
B 주변 사람의 대소사에 관심이 많다.	①	②	③	④	⑤	⑥	⑦	○	○
C 사회봉사활동에 관심이 많다.	①	②	③	④	⑤	⑥	⑦	○	○

138

문항예시	응답 I							응답 II	
	전혀 아님 ◀ 보통 ▶ 매우 그러함							멀다	가깝다
A 자신의 잘못을 자주 반성하는 편이다.	①	②	③	④	⑤	⑥	⑦	○	○
B 살아오는 동안 크게 잘못한 적이 없다.	①	②	③	④	⑤	⑥	⑦	○	○
C 나쁜 일을 해도 죄의식을 느끼지 않는 편이다.	①	②	③	④	⑤	⑥	⑦	○	○

139

문항예시	응답 I							응답 II	
	전혀 아님 ◀ 보통 ▶ 매우 그러함							멀다	가깝다
A 적절한 경쟁은 삶의 활력소다.	①	②	③	④	⑤	⑥	⑦	○	○
B 경쟁에서 뒤처지지 않기 위해 노력하고 있다.	①	②	③	④	⑤	⑥	⑦	○	○
C 남보다 경쟁력을 갖추고 있다고 생각한다.	①	②	③	④	⑤	⑥	⑦	○	○

140

문항예시	응답 I							응답 II	
	전혀 아님 ◀ 보통 ▶ 매우 그러함							멀다	가깝다
A 이유없이 불안함을 느낀 적은 없다.	①	②	③	④	⑤	⑥	⑦	○	○
B 이번 입사시험에 불합격할까봐 걱정된다.	①	②	③	④	⑤	⑥	⑦	○	○
C 불합격도 좋은 경험이라고 생각한다.	①	②	③	④	⑤	⑥	⑦	○	○

141

문항예시	응답 I							응답 II	
	전혀 아님 ◀ 보통 ▶ 매우 그러함							멀다	가깝다
A 자신이 항상 최선을 다했다고 생각한다.	①	②	③	④	⑤	⑥	⑦	○	○
B 자신의 노력이 부족해 아쉬움이 많이 남는다.	①	②	③	④	⑤	⑥	⑦	○	○
C 최선을 다해 좋은 결과를 얻은 적이 많다.	①	②	③	④	⑤	⑥	⑦	○	○

142

문항예시	응답 I							응답 II	
	전혀 아님 ◀ 보통 ▶ 매우 그러함							멀다	가깝다
A 돈 많고 잘생긴 친구가 부럽다.	①	②	③	④	⑤	⑥	⑦	○	○
B 멋진 이성을 사귀는 친구가 매우 부럽다.	①	②	③	④	⑤	⑥	⑦	○	○
C 자신의 현재 모습에 비교적 만족한다.	①	②	③	④	⑤	⑥	⑦	○	○

143

문항예시	응답 I							응답 II	
	전혀 아님 ◀ 보통 ▶ 매우 그러함							멀다	가깝다
A 자신이 이성을 사귀는 주요 기준은 외모다.	①	②	③	④	⑤	⑥	⑦	○	○
B 이성 교제시 중요한 것은 내적인 아름다움이다.	①	②	③	④	⑤	⑥	⑦	○	○
C 서로에게 발전적인 만남을 가지고 싶다.	①	②	③	④	⑤	⑥	⑦	○	○

144

문항예시	응답 I							응답 II	
	전혀 아님 ◀ 보통 ▶ 매우 그러함							멀다	가깝다
A 전공과 관련된 인생의 장기목표가 있다.	①	②	③	④	⑤	⑥	⑦	○	○
B 아직 구체적인 인생 목표가 없다.	①	②	③	④	⑤	⑥	⑦	○	○
C 인생 목표달성을 위하여 지금도 노력하고 있다.	①	②	③	④	⑤	⑥	⑦	○	○

145

문항예시	응답 I							응답 II	
	전혀 아님 ◀ 보통 ▶ 매우 그러함							멀다	가깝다
A 아끼고 사랑하는 사람이 있다.	①	②	③	④	⑤	⑥	⑦	○	○
B 거리낌 없이 마음을 나눌 수 있는 상대가 있다.	①	②	③	④	⑤	⑥	⑦	○	○
C 사람에게 위로 받는 것은 어리석은 일이다.	①	②	③	④	⑤	⑥	⑦	○	○

146

문항예시	응답 I							응답 II	
	전혀 아님 ◀ 보통 ▶ 매우 그러함							멀다	가깝다
A 자신이 매우 바쁜 삶을 살고 있다고 생각한다.	①	②	③	④	⑤	⑥	⑦	○	○
B 실속없이 시간을 보내는 자신에게 화가 난다.	①	②	③	④	⑤	⑥	⑦	○	○
C 시간이 아까워 분 단위로 나누어 쓴다.	①	②	③	④	⑤	⑥	⑦	○	○

147

문항예시	응답 I							응답 II	
	전혀 아님 ◀ 보통 ▶ 매우 그러함							멀다	가깝다
A 세상은 기쁨보다 아픔이 많은 곳이다.	①	②	③	④	⑤	⑥	⑦	○	○
B 세상에는 사랑보다 미움과 증오가 많다.	①	②	③	④	⑤	⑥	⑦	○	○
C 모든 인간은 이기적이다.	①	②	③	④	⑤	⑥	⑦	○	○

148

문항예시	응답 I							응답 II	
	전혀 아님 ◀ 보통 ▶ 매우 그러함							멀다	가깝다
A 일을 미루는 것을 매우 싫어한다.	①	②	③	④	⑤	⑥	⑦	○	○
B 할 일을 시간 내 끝내지 못하면 스트레스를 받는다.	①	②	③	④	⑤	⑥	⑦	○	○
C 모든 일을 여유있게 계획하고 끝내는 편이다.	①	②	③	④	⑤	⑥	⑦	○	○

149

문항예시	응답 I							응답 II	
	전혀 아님 ◀ 보통 ▶ 매우 그러함							멀다	가깝다
A 자기계발을 위하여 하는 것이 많다.	①	②	③	④	⑤	⑥	⑦	○	○
B 사소하지만 남들보다 뛰어난 점이 있다.	①	②	③	④	⑤	⑥	⑦	○	○
C 독서량은 적은 편이다.	①	②	③	④	⑤	⑥	⑦	○	○

150

문항예시	응답 I							응답 II	
	전혀 아님 ◀ 보통 ▶ 매우 그러함							멀다	가깝다
A 자신을 험담하는 사람이 없다고 생각한다.	①	②	③	④	⑤	⑥	⑦	○	○
B 자신을 공개적으로 망신주려는 사람이 있다.	①	②	③	④	⑤	⑥	⑦	○	○
C 자신에 대한 타인의 평가에 스트레스를 받는다.	①	②	③	④	⑤	⑥	⑦	○	○

151

문항예시	응답 I							응답 II	
	전혀 아님 ◀ 보통 ▶ 매우 그러함							멀다	가깝다
A 주변 사람들 중에서는 자신이 뛰어난 편이다.	①	②	③	④	⑤	⑥	⑦	○	○
B 일처리를 잘한다는 평을 주로 듣는다.	①	②	③	④	⑤	⑥	⑦	○	○
C 주변에 능력없는 사람들을 보면 답답하다.	①	②	③	④	⑤	⑥	⑦	○	○

152

문항예시	응답 I							응답 II	
	전혀 아님 ◀ 보통 ▶ 매우 그러함							멀다	가깝다
A 상사가 불법적인 일을 지시해도 행할 것이다.	①	②	③	④	⑤	⑥	⑦	○	○
B 경우에 따라서는 상사에게 화를 낼 수도 있다.	①	②	③	④	⑤	⑥	⑦	○	○
C 상사에게 너무 순종하면 손해다.	①	②	③	④	⑤	⑥	⑦	○	○

153

문항예시	응답 I							응답 II	
	전혀 아님 ◀ 보통 ▶ 매우 그러함							멀다	가깝다
A 차가 없으면 빨간 신호라도 횡단보도를 건넌다.	①	②	③	④	⑤	⑥	⑦	○	○
B 쓰레기를 길에 버린 적이 없다.	①	②	③	④	⑤	⑥	⑦	○	○
C 법에도 융통성이 필요하다.	①	②	③	④	⑤	⑥	⑦	○	○

154

문항예시	응답 I							응답 II	
	전혀 아님 ◀ 보통 ▶ 매우 그러함							멀다	가깝다
A 자신의 주변에는 좋은 사람들이 많다.	①	②	③	④	⑤	⑥	⑦	○	○
B 주위에 괜찮은 사람이 거의 없다.	①	②	③	④	⑤	⑥	⑦	○	○
C 사람들의 장점을 잘 보는 편이다.	①	②	③	④	⑤	⑥	⑦	○	○

155

문항예시	응답 I							응답 II	
	전혀 아님 ◀ 보통 ▶ 매우 그러함							멀다	가깝다
A 지난 과거를 돌이켜 보면 괴로운 적이 많았다.	①	②	③	④	⑤	⑥	⑦	○	○
B 삶은 고난의 연속이다.	①	②	③	④	⑤	⑥	⑦	○	○
C 삶이 주는 사소한 즐거움에 만족하는 편이다.	①	②	③	④	⑤	⑥	⑦	○	○

156

문항예시	응답 I							응답 II	
	전혀 아님 ◀ 보통 ▶ 매우 그러함							멀다	가깝다
A 행동력이 있다.	①	②	③	④	⑤	⑥	⑦	○	○
B 다른 사람 앞에서 이야기를 잘한다.	①	②	③	④	⑤	⑥	⑦	○	○
C 모든 일에 열정적으로 임하려고 한다.	①	②	③	④	⑤	⑥	⑦	○	○

157

문항예시	응답 I							응답 II	
	전혀 아님 ◀ 보통 ▶ 매우 그러함							멀다	가깝다
A 잠자리에 들기 전 내일 할일을 확인한다.	①	②	③	④	⑤	⑥	⑦	○	○
B 평가하는 것을 좋아한다.	①	②	③	④	⑤	⑥	⑦	○	○
C 예상하지 못한 일이 벌어져도 당황하지 않는다.	①	②	③	④	⑤	⑥	⑦	○	○

158

문항예시	응답 I							응답 II	
	전혀 아님 ◀ 보통 ▶ 매우 그러함							멀다	가깝다
A 포기도 필요하고 생각한다.	①	②	③	④	⑤	⑥	⑦	○	○
B 이윤이 윤리보다 중요하다고 생각한다.	①	②	③	④	⑤	⑥	⑦	○	○
C 모험보다는 안전한 길을 선택한다.	①	②	③	④	⑤	⑥	⑦	○	○

159

문항예시	응답 I							응답 II	
	전혀 아님 ◀ 보통 ▶ 매우 그러함							멀다	가깝다
A 지위에 맞는 행동이 있다고 생각한다.	①	②	③	④	⑤	⑥	⑦	○	○
B 결정한 일에 구속받지 않는다.	①	②	③	④	⑤	⑥	⑦	○	○
C 땀을 흘리는 것보다 머리를 쓰는 일이 좋다.	①	②	③	④	⑤	⑥	⑦	○	○

160

문항예시	응답 I							응답 II	
	전혀 아님 ◀ 보통 ▶ 매우 그러함							멀다	가깝다
A 질문을 받으면 바로바로 대답한다.	①	②	③	④	⑤	⑥	⑦	○	○
B 한꺼번에 많은 일을 떠맡으면 부담스럽다.	①	②	③	④	⑤	⑥	⑦	○	○
C 좋다고 생각하면 바로 행동한다.	①	②	③	④	⑤	⑥	⑦	○	○

161

문항예시	응답 I							응답 II	
	전혀 아님 ◀ 보통 ▶ 매우 그러함							멀다	가깝다
A 실패가 걱정되어 전전긍긍하는 편이다.	①	②	③	④	⑤	⑥	⑦	○	○
B 승부근성이 강하다.	①	②	③	④	⑤	⑥	⑦	○	○
C 타인에게 폐를 끼치는 것이 싫다.	①	②	③	④	⑤	⑥	⑦	○	○

162

문항예시	응답 I							응답 II	
	전혀 아님 ◀ 보통 ▶ 매우 그러함							멀다	가깝다
A 자신에 대해 안 좋은 소문이 돌까 걱정스럽다.	①	②	③	④	⑤	⑥	⑦	○	○
B 문제가 생기면 해결될 때까지 고민한다.	①	②	③	④	⑤	⑥	⑦	○	○
C 자신만의 신념이 있다.	①	②	③	④	⑤	⑥	⑦	○	○

163

문항예시	응답 I							응답 II	
	전혀 아님 ◀ 보통 ▶ 매우 그러함							멀다	가깝다
A 생각한 것을 금방 말해버린다.	①	②	③	④	⑤	⑥	⑦	○	○
B 고생을 사서 하는 편이다.	①	②	③	④	⑤	⑥	⑦	○	○
C 항상 무언가를 생각한다.	①	②	③	④	⑤	⑥	⑦	○	○

164

문항예시	응답 I							응답 II	
	전혀 아님 ◀ 보통 ▶ 매우 그러함							멀다	가깝다
A 문제를 해결하기 위해 여러 사람과 상의한다.	①	②	③	④	⑤	⑥	⑦	○	○
B 사소한 충고에도 걱정을 한다.	①	②	③	④	⑤	⑥	⑦	○	○
C 모두에게 도움이 되는 사람이려고 노력한다.	①	②	③	④	⑤	⑥	⑦	○	○

165

문항예시	응답 I							응답 II	
	전혀 아님 ◀ 보통 ▶ 매우 그러함							멀다	가깝다
A 몸을 움직이는 것을 좋아한다.	①	②	③	④	⑤	⑥	⑦	○	○
B 어떤 일이라도 바로 시작하는 편이다.	①	②	③	④	⑤	⑥	⑦	○	○
C 생각한 뒤 행동한다.	①	②	③	④	⑤	⑥	⑦	○	○

166

문항예시	응답 I							응답 II	
	전혀 아님 ◀ 보통 ▶ 매우 그러함							멀다	가깝다
A 시작한 일은 반드시 끝을 본다.	①	②	③	④	⑤	⑥	⑦	○	○
B 면밀하게 계획을 세운 여행을 좋아한다.	①	②	③	④	⑤	⑥	⑦	○	○
C 야망이 있는 사람이다.	①	②	③	④	⑤	⑥	⑦	○	○

167

문항예시	응답 Ⅰ							응답 Ⅱ	
	전혀 아님 ◀ 보통 ▶ 매우 그러함							멀다	가깝다
A 하나의 취미에 열중한다.	①	②	③	④	⑤	⑥	⑦	○	○
B 어떤 일에도 의욕적으로 임한다.	①	②	③	④	⑤	⑥	⑦	○	○
C 흐린 날은 외출 시 우산을 반드시 챙긴다.	①	②	③	④	⑤	⑥	⑦	○	○

168

문항예시	응답 Ⅰ							응답 Ⅱ	
	전혀 아님 ◀ 보통 ▶ 매우 그러함							멀다	가깝다
A 공격적인 성향이 있다.	①	②	③	④	⑤	⑥	⑦	○	○
B 리드를 받는 편이다.	①	②	③	④	⑤	⑥	⑦	○	○
C 너무 신중해서 기회를 놓친 적이 있다.	①	②	③	④	⑤	⑥	⑦	○	○

169

문항예시	응답 Ⅰ							응답 Ⅱ	
	전혀 아님 ◀ 보통 ▶ 매우 그러함							멀다	가깝다
A 야근을 해서라도 할당된 일을 끝내야 맘이 편하다.	①	②	③	④	⑤	⑥	⑦	○	○
B 노력해도 결과가 따르지 않으면 의미가 없다.	①	②	③	④	⑤	⑥	⑦	○	○
C 무조건 행동해야 한다.	①	②	③	④	⑤	⑥	⑦	○	○

170

문항예시	응답 I							응답 II	
	전혀 아님 ◀ 보통 ▶ 매우 그러함							멀다	가깝다
A 정해진 대로 움직이는 것은 시시하다.	①	②	③	④	⑤	⑥	⑦	○	○
B 질서보다는 자유가 중요하다.	①	②	③	④	⑤	⑥	⑦	○	○
C 직관적으로 판단하는 편이다.	①	②	③	④	⑤	⑥	⑦	○	○

171

문항예시	응답 I							응답 II	
	전혀 아님 ◀ 보통 ▶ 매우 그러함							멀다	가깝다
A 스스로 고안하는 것을 좋아한다.	①	②	③	④	⑤	⑥	⑦	○	○
B 조직의 일원으로 잘 어울린다.	①	②	③	④	⑤	⑥	⑦	○	○
C 환경이 변하는 것에 구애되지 않는다.	①	②	③	④	⑤	⑥	⑦	○	○

PART

III

적성검사

01 언어이해

1 다음 중 글의 내용과 일치하지 않는 것은?

비트코인(Bitcoin)과 블록체인(Blockchain)은 요즘 TV나 미디어뿐만 아니라 일반인 사이에서도 한창 화제가 되고 있다. 비트코인이 이처럼 인기를 끄는 가장 큰 이유는 지난해 한 해 동안 2,000% 가까이 오른 가격에 있다. 덕분에 비트코인의 기반인 블록체인 기술의 인기도 함께 올라갔다. 다만 블록체인은 장기적인 관점에서 투자해야 할 기술이다.

블록체인 기술은 큰 파급 효과를 일으킬 잠재력을 지녔다. 2017년 초 하버드 비즈니스 리뷰는 블록체인이 "경제 및 사회 시스템을 위한 새로운 토대를 창출할 잠재력을 지녔다"고 평가했다. 세계경제포럼이 2017년 1월 발행한 보고서는 2025년에는 전 세계 GDP의 10%가 블록체인 또는 블록체인 관련 기술에 저장될 것으로 전망했다. 10년 내에 GDP 10%를 차지할 것으로 예상되는 이 기술에 대해 아직 잘 모른다면 당장 공부를 시작할 것을 권한다.

블록체인은 암호화되어 보호되는 디지털 로그 파일이며 온라인 거래를 안전하게 보호하는 역할을 한다. 1991년에 처음 개념화된 분산 퍼블릭 블록체인을 최초로 실용화한 애플리케이션이 바로 비트코인이다. 블록은 거래를 기록한 디지털 기록물이며 이 거래의 유효성을 확인하기 위해서는 블록체인 참여자들의 합의가 필요하다.

일반적으로 블록에는 가격, 행위(구매, 판매, 양도 등), 시간 스탬프와 같은 거래 데이터가 포함된다. 모든 거래(또는 일련의 거래)는 블록을 생성한다. 각 미래 블록에는 이전 블록의 암호화 해시(현재 해시는 일반적으로 SHA-256)가 포함된다. 이렇게 해서 각 거래 블록은 암호화된 방식으로 이전 블록에 결속된다.

비트코인과 같이 블록체인이 공개적으로 분산되면 각 참여자는 블록체인의 모든 거래를 확인할 수 있다. 참여자가 가진 돈이나 재산의 정도는 해당 정보가 거래 기록에 포함되지 않는 한 알 수 없지만 두 참여자 사이에 교환된 가치는 볼 수 있으며 그 유효성을 확인할 수 있다.

참여자는 누구나 위조하기가 극히 어려운(암호화 분야의 용어로 표현하자면 '간단치 않은') 암호화 증명서를 제시함으로써 특정 블록체인 계정의 소유권을 입증할 수 있다. 블록체인의 동작 원리는 각 참여자에게 서명된 콘텐츠를 생성할 수 있는 프라이빗 키가 있고, 연결된 퍼블릭 키를 사용해 다른 모든 참여자들이 손쉽게 이 프라이빗 키를 확인할 수 있다는 점에서 퍼블릭/프라이빗 키 암호화와 비슷하다.

블록체인에는 클라우드 컴퓨팅과 같이 퍼블릭, 프라이빗, 하이브리드 블록체인이 있다. 자기만의 블록체인을 만들거나 이익을 공유하는 더 큰 그룹에서 만든 다른 블록체인을 사용할 수 있으며, 비트코인과 같이 퍼블릭 글로벌 블록체인에 참여하는 것도 가능하다. 비교적 최근부터는 프라이빗 블록체인은 퍼블릭 블록체인에, 퍼블릭 블록체인은 프라이빗 블록체인에 참여할 수도 있다.

① 비트코인은 지난 한 해 동안 가격이 20배 상승했다.

② 자기만의 블록체인을 만들거나 이익을 공유하는 더 큰 그룹에서 만든 다른 블록체인을 사용할 수 있다.

③ 블록체인 기술은 10년 내에 GDP 10%를 차지할 것으로 예상된다.

④ 블록체인은 암호화되어 보호되는 디지털 로그 파일이며 온라인 거래를 안전하게 보호하는 역할을 한다.

⑤ 블록체인이 비공개적으로 분산되면 각 참여자는 블록체인의 모든 거래를 확인할 수 있다.

(Tip) ⑤ 블록체인이 공개적으로 분산되면 각 참여자는 블록체인의 모든 거래를 확인할 수 있다.

Answer 1.⑤

2 밑줄 친 사례로 적절하지 않은 것은?

경매에서 존 레논의 기타가 구입 가격의 1만 배가 넘는 가격에 낙찰되었다고 한다. 경매에서 낙찰의 기쁨을 얻은 승자는 그 상품에서 얻을 수 있는 자신의 기쁨만큼 가격을 지불했고, 판매자도 높은 가격에 만족했을 것이다.

그러나 낙찰자가 얼마 가지 않아 레논의 기타에 싫증을 낸다면, 그 물건이 과대평가되었다는 것을 곧 알게 될 것이다. 오늘의 낙찰가가 효율적인 것처럼 보이지만, 길게 보면 결코 합리적인 가격 수준이 아닐 수도 있는 것이다.

원유의 채굴권이 경매되는 과정을 생각해보자. 누구도 매장량과 상업성을 정확히 예측할 수 없는 상황에서 기업 A가 과학적인 방법을 동원하여 가장 정확하게 가치를 산정했다고 하자. 그렇다고 경매에서 채굴권이 A에게 돌아간다는 보장은 없다. 오히려 가장 낙관적으로 과대평가한 B 기업이 채굴권을 차지한다. 그런데 이 경우 채굴권을 따낸 승자는 시장에서는 오히려 큰 손실을 보는 패자가 된다. 이런 현상을 '승자의 저주'라고 부른다. 불확실한 미래가치를 너무 용기 있게 평가했기 때문에 나타난 결과이다.

구매자가 합리적이라면, 자신이 원하는 용도에 적합하게 가격을 부른다. 그 결과 적정한 가격에서 효율적인 교환이 성립된다. 경제학에서 '효율적인 교환'이라는 말은 모든 거래 당사자가 서로 손해를 보지 않는 가격에서 교환하는 것을 말한다. 예를 들어 적정 이윤을 포함한 원가가 1만 원인데, 2만 원에 판매하거나 8,000원에 판매한다면 누군가가 손실을 부담하므로 비효율적이다. 그러나 정확히 1만 원에 판매한다면, 양자가 서로 만족하면서 교환하므로 효율적인 거래가 성립된다. 1만 원 이외에는 다른 어떤 가격도 두 사람을 다 만족시킬 수 없는 것이다. 독점가격은 비효율적이고 경쟁가격이 효율적인 이유가 여기에 있다.

경매는 효율적인 가격을 결정해 주는 과정이다. 경매에 참여하는 구매자가 모두 합리적이라면, 승자의 저주도 나타나지 않는다. 특히 미래가치에 대한 확실한 정보를 알거나, 동일한 유형의 상품이 많이 거래될 때에는 합리적인 가격이 결정된다. 따라서 주식시장에서도 경매를 통해 효율적인 가격이 형성될 수 있다. 그러나 누군가가 비합리적인 행동을 한다면, 경매는 의외의 결과를 가져올 수도 있다. 주가에 거품이 있는 것처럼, 경매가격도 턱없이 올라갈 수 있기 때문이다. 그래서 승자는 비합리적인 의사결정에 대한 고통과 저주를 감당해야 한다.

① A 제작사는 흥행을 목적으로 가장 인기 있는 배우 섭외에 성공하여 영화를 만들었으나, 관객 동원에 실패하였다.

② B 과장은 집값이 오르리라는 기대로 남들보다 비싼 가격으로 아파트를 샀으나, 가격이 하락하면서 많은 손해를 보았다.

③ C 사원은 어려운 입사 시험을 통과하여 원하던 회사에 취직하였지만, 경제 위기 탓으로 자신이 기대한 임금을 받지 못했다.

④ D 감독은 다른 구단에 비해 더 좋은 조건을 제시하여 유명한 선수들을 영입하였지만, 성적이 좋지 않아 결국 해임되고 말았다.

⑤ E 사장은 무리한 경쟁을 통해 다른 기업의 인수합병에 성공하였으나, 그 후 자금 운영이 어려워지면서 인수합병을 후회하게 되었다.

(Tip) 승자의 저주는 경쟁을 통해 거래에 성공하였지만 오히려 큰 손실을 보게 되는 것을 의미한다. 그러나 ③의 경우, 경쟁이 있기는 하지만 거래 행위가 아니다.

Answer♪ 2.③

3 다음 중 '도덕감' 개념의 등장 배경으로 가장 적절한 것은?

서양 근대 철학을 특징지은 두 가지 중요한 변수로는 무엇보다도 자연과학의 발달과 자아의 발견을 들 수 있을 것이다. 그런데 과학이 우리에게 보여 주는 것은 과학적 지식의 세계, 즉 현상세계에 국한된다. 여기서 우리는 또 하나의 변수에 주목하게 된다. 그것은 바로 자아의 발견이다. 데카르트의 '나는 생각한다.'로부터 시작된 '주관성의 철학'은 이제 생각하는 주체(자아)와 생각되는 대상(세계)의 분리를 가져왔고, 이로써 근대 철학은 '주관이 어떻게 있는 그대로의 대상을 알 수 있는가?'라는 과제를 가지고 씨름하는 인식론으로 발전하게 된다.

그러나 이러한 철학은 그 출발에서부터 불가피하게 회의론과 불가지론(不可知論)을 내포하고 있었다. 왜냐하면 인식론은 주-객이 아직 분리되지 않았던 '낙원(모두 하나가 되어 있는 상태)'에서 추방된 인간의 운명을 예고하고 있었기 때문이다. 다시 말해, '나'라는 존재가 주변 사물이나 사람들과의 관계로부터 따로 떨어져 인식될 수 없었던 삶의 구도로부터 이제 독자적인 자의식을 지닌 '내'가 내 밖의 대상세계를 나의 눈으로 바라보는 구도로 바뀌었기 때문이다. 자의식이 분명해질수록 어떤 면에서 우리는 다른 존재를 이해하기가 점점 더 힘들어진다고 할 수 있다. 그리고 이것은 근대적 세계관이 낳은 불가피한 결과이기도 하다. 근대 경험론의 완성자인 흄에게서 우리는 '주체가 아니기 때문에 있는 그대로의 객체(대상)를 결코 알 수 없다.'는 회의주의적 결론을 보게 된다. 이는 곧 인간이 지닌 이성의 능력에 대한 불신, 인간 이성의 가능성에 대한 회의를 함축하는 것이다.

'도덕감' 개념의 등장은 위와 같은 근대 인식론의 전개 과정과 밀접한 관련이 있다. 근대 이전, 특히 플라톤주의적 세계관에서 도덕적 선은 우주 그 자체로부터, 즉 자기 스스로를 드러내는 실재의 관점에서 이해되었다. 그러나 기계론적 우주관과, 계몽을 통해 스스로의 독자성을 깨닫게 된 해방된 주관 개념은 주체와 객체 사이를 확연히 구분 짓게 하였다.

여기서 무엇이 주관으로 하여금 한 객체(대상)로서의 선을 인식하고 또 지향하게 하는가에 대한 의문이 제기되었다. 그래서 도덕감이라는 개념이 등장하게 되는데, 그것은 다른 감각 기관들이 물리적 대상들을 인식하듯이 도덕적 대상들을 인식한다고 가정한 것이다. 모든 인간은 '선하고 아름다운 것에 관한 선천적인 관념' 혹은 '사회적 관련성을 고려하는 어떤 자연적인 가치 의식'을 가지고 있다. 도덕 문제에서도 도덕적 가치를 판별하는 도덕감 혹은 자연적 감정이 존재한다. 이것은 모든 사람이 선천적으로 지니고 있는 특별한 능력을 가리키는데, 이 능력은 우리가 도덕적 대상들(인간의 행위와 감정들)을 지각할 때 필연적으로 작용한다. 이 세상에 정상적인 사람으로서 이러한 도덕감 혹은 자연적 감정을 지니지 않은 사람은 있을 수 없다.

① 철학의 주관성을 부정하기 위해서

② 인식론에 대한 회의를 해결하기 위해서

③ 현상세계에 대한 이해를 높이기 위해서

④ 주체와 객체의 합일을 추구하기 위해서

⑤ 과학적 방법의 한계를 극복하기 위해서

 ② 근대 인식론의 전개 과정에서 도덕감이라는 개념이 등장하게 된다. 도덕감은 주체의 인식에 대한 회의주의적 결론을 해결하기 위한 개념으로 등장했다고 할 수 있다.

4 〈보기〉는 사전의 뜻풀이이다. 밑줄 친 부분의 문맥적 의미와 가장 유사한 것은?

> 협동 조합은 일단 공동의 목적을 가진 사람들이 모여, 그 목적을 실현하는 과정에서 그들의 고유한 이념을 확산하고 심화시키려 한다는 점에서, 이념으로 뭉친 결사체보다는 덜 하지만 뚜렷한 가치 지향성을 가진다고 할 수 있다. 다만 지역성은 참여자들의 삶의 <u>터전</u>이 밀접해 있을 수도, 아닐 수도 있다는 점에서 어느 정도 융통성이 있다고 할 수 있다. 코뮌의 경우는 생활의 대부분을 긴밀하게 공유하므로 지역성과 이념성이 모두 높은 반면, 이념적 결사체는 공간 근접성을 중시하지 않는다.
>
> 이렇게 공동체 운동은 가치관이나 삶의 태도가 이질적인 구성원들을 대상으로 사회 문화적 동질화를 꾀하는 한편, 참여자들의 관심과 사고 범위가 개인의 이익에 국한되거나 집단 이기주의로 흐르지 않고 이웃, 지역 사회, 시민 사회 전반의 유익함을 고려하는 경향성을 갖고 있다. 공동체 운동을 통해서 이러한 개인의 의식의 발전, 사고의 전환이 가능하다면 공동체 운동은 매우 더디지만 사회 전체의 변화를 기약한다고 할 수 있다.

> 〈보기〉
>
> 터전01
> 　명 집터가 되는 땅. ¶ 집집마다 터전이 넓었다. …… ⓐ
> 　　자리를 잡은 곳. ¶ 경주는 신라의 옛 터전이었다. …… ⓑ
> 　　살림의 근거지가 되는 곳. ¶ 생업의 터전을 마련하다. …… ⓒ
> 　　일의 토대. ¶ 민주주의 터전을 다지다. …… ⓓ
> 터-전02
> 　명 텃밭. ¶ 뒤 곁에 터전을 일구었다. …… ⓔ

① ⓐ　　　　　　　　　　　② ⓑ

③ ⓒ　　　　　　　　　　　④ ⓓ

⑤ ⓔ

Tip 밑줄 친 부분은 '살림의 근거지가 되는 곳'이라는 뜻이므로 ③이다.

5 다음 중 밑줄 친 부분과 같은 의미로 쓰인 것은?

> 19세기 인상파의 출현으로 인해 서양미술사는 빛과 관련하여 또 한 번 중요하고도 새로운 전기를 맞게 된다. 인상파 화가들은 광학 지식의 발달에 힘입어 사물의 색이 빛의 반사에 의해 생긴 것이라는 사실을 알게 되었다. 이것은 빛의 밝기나 각도, 대기의 흐름에 따라 사물의 색이 변할 수 있음을 의미한다. 이러한 사실에 대한 깨달음은 고정 불변하는 사물의 고유색이란 존재하지 않는다는 인식으로 이어졌다. 이제 화가가 그리는 것은 사물이 아니라 사물에서 반사된 빛이며, 빛의 운동이 되어 버렸다. 인상파 화가들은 빛의 효과를 극대화하기 위해 같은 주황색이라도 팔레트에서 빨강과 노랑을 섞어 주황색을 만들기보다는 빨강과 노랑을 각각 화포에 칠해 멀리서 볼 때 섞이게 함으로써 훨씬 채도가 높은 주황색을 만드는 것을 선호했다. 인상파 화가들은 이처럼 자연을 빛과 대기의 운동에 따른 색채 현상으로 보고 순간적이고 찰나적인 빛의 표현에 모든 것을 바침으로써 매우 유동적이고 변화무쌍한 그림을 창조해 냈다.
>
> 지금까지 살펴본 대로, 서양화가들은 빛에 대한 관찰과 실험을 통해 회화의 깊이와 폭을 확장시켰다. 그 과정에서 빛이 단순히 물리적 현상으로서만 아니라 심리적 현상으로도 체험된다는 사실을 발견하였다. 인상파 이후에도 빛에 대한 탐구와 표현은 다양한 측면에서 시도되고 있다. 따라서 빛을 중심으로 서양화를 감상하는 것도 그림이 주는 감동에 <u>젖을</u> 수 있는 훌륭한 방법이 될 수 있다.

① 안개 속에 잠긴 들이 비에 <u>젖고</u> 있었다.

② 귀에 <u>젖은</u> 아버지의 노랫가락이 들려 왔다.

③ 그는 노을빛에 <u>젖은</u> 하늘을 보며 생각에 잠겼다.

④ 어젯밤 그는 묘한 슬픔에 <u>젖어</u> 잠을 이루지 못했다.

⑤ 지금 같은 시대에 봉건 사상에 <u>젖어</u> 있다니 말이 되는가?

 ㉠은 어떤 심정에 잠기다의 뜻이므로 ④와 같은 의미로 쓰였다.
① 물이 배어 축축하게 되다.
② 감각에 익다.
③ 하늘이 어떤 빛깔을 띤 상태가 되다.
⑤ 어떤 영향을 받아 몸에 배다.

6 다음 글의 내용과 일치하지 않는 것은?

유클리드는 '차원'이라는 용어를 사용하여 길이·폭·깊이라는 사물의 성질에 수학적 의미를 부여한 사람이다. 유클리드 기하학에서 직선은 전형적인 일차원적 사물로 정의되는데, 이는 직선이 길이라는 단 하나의 성질을 갖고 있기 때문이다. 같은 방식으로, 길이와 폭이라는 성질을 갖고 있는 평면은 이차원적 사물의 전형이며, 길이·폭·깊이를 모두 갖고 있는 입체는 삼차원적 사물의 전형이다. 이렇게 유클리드 시대의 수학은 삼차원 세계에 대한 고대 그리스인들의 생각을 수학적으로 뒷받침하였다.

유클리드 이후 여러 세대를 거치면서도 이 세계는 계속해서 삼차원으로 인식되었다. 사차원에 대한 어떠한 생각도 수학적으로는 터무니없다고 무시되었다. 위대한 천문학자 톨레미조차 사차원에 대한 생각을 믿지 않았다. 공간에 서로 수직하는 세 직선을 그리는 것은 가능하지만 그와 같은 네 번째의 축을 그리는 것은 불가능하다는 것이 그의 설명이었다.

근대에 들어서 프랑스의 수학자 데카르트는 유클리드와 다른 방식으로 기하학에 접근했다. 대상의 길이·폭·깊이가 아닌 '좌표'라는 추상적 수치 체계를 도입한 것이다. 그에 따르면 어떤 사물의 차원은 그것을 나타내기 위해 필요한 좌표의 개수와 상관관계가 있다. 예를 들어 하나의 선은 오직 하나의 좌표를 사용하여 나타낼 수 있으므로 일차원이며, 두 개의 좌표를 써서 나타낼 수 있는 평면은 이차원이다. 같은 방법으로 입체가 삼차원인 이유는 이를 나타내기 위하여 세 개의 좌표가 필요하기 때문이다. 유클리드의 차원이 감각적인 대상의 특성에 기반한다는 점에서 질적이라고 한다면, 데카르트의 차원은 추상적인 수치에 기반한다는 점에서 양적이었다. 그는 사차원의 가능성을 모색해 보다가 결국 스스로 포기하고 말았는데, 눈으로 보여 줄 수 없는 것의 존재 가능성을 인정하지 않으려 했던 당시 수학자들의 저항을 극복하지 못했기 때문이다.

사차원의 개념이 인정을 받은 것은 19세기 독일의 수학자 리만에 이르러서이다. 그는 데카르트의 좌표에 대한 정의를 활용하여 0차원에서 무한대의 차원까지 기술할 수 있다는 점을 입증하였다. 그에 따르면, 감지할 수 있는 공간에서만 수학적 차원을 언급할 필요가 없다. 단지 순수하게 논리적으로 개념적 공간을 언급할 수 있으면 족한데, 그는 이를 다양체(manifold)라는 개념 속에 포괄하였다. 다양체는 그것을 결정하는 요인의 개수만큼의 차원을 갖게 된다. 헤아릴 수 없이 많은 요인들이 작용하여 이루어지는 어떤 대상이나 영역이 있다면, 그것은 무한 차원에 가까운 다양체라고 할 수 있다.

차원에 대한 정의를 자유롭게 만든 리만 덕택에, 아인슈타인은 이 우주가 사차원의 다양체라고 결론 내릴 수 있었다. 공간을 이루는 세 개의 차원에 시간이라는 한 개의 차원을 더하면 우주의 운동을 설명할 수 있다고 본 것이다.

① 리만은 0차원에서 무한 차원까지 기술할 수 있다고 보았다.

② 데카르트는 좌표라는 추상적 수치 체계로 차원을 설명하였다.

③ 유클리드는 직선을 두 점으로 이루어진 이차원적 사물로 보았다.

④ 톨레미는 공간에 네 번째 축을 그리는 것을 불가능하다고 보았다.

⑤ 아인슈타인의 사차원은 공간에 시간이라는 한 개의 차원을 더한 것이다.

 ③ 유클리드 기하학에서 직선은 전형적인 일차원적 산물이다.

7 다음 중 밑줄 친 부분의 단어를 대체할 수 있는 것은?

원시인들은 어떻게 그런 자연적 경향으로부터 벗어날 수 있었을까? 폴 라댕은 「철학자로서의 원시인」이라는 저서에서 원시인에게는 두 가지 유형의 기질이 있다고 주장하였다. 하나는 행동하는 인간으로, 이들은 주로 외부의 대상에 정신을 집중하고 실용적인 결과에만 관심이 있으며 내면에서 벌어지는 동요에 대해서는 무관심한 사람이다. 또 다른 유형은 생각하는 인간으로, 늘 세계를 분석하고 설명하고 싶어하는 사람이다. 행동하는 인간은 '설명' 그 자체에 별 관심이 없으며, 설령 설명한다고 해도 사건 사이의 기계적인 관계만을 설명하려 한다. 즉 그들은 동일 사건의 무한한 반복을 바탕에 두고 반복으로부터의 일탈을 급격한 변화로 받아들일 수밖에 없었다. 반면 생각하는 인간은 기계적인 설명을 벗어나 '하나'에서 '여럿'으로, '단순'에서 '복잡'으로, '원인'에서 '결과'로 서서히 변해간다고 설명하려 한다. 그러나 이 과정에서 외부 대상의 끊임없는 변화에 역시 당황해 할 수밖에 없다. 그래서 대상을 조직적으로 파악하기 위해 대상에 영원 불변의 형태를 부여해야만 했고, 그 결과 세상을 정적인 어떤 것으로 만들어야만 했던 것이다.

즉, 대상의 본질은 변하지 않는 것이라고 믿고 싶어하는 '무시간적 사고'는 인간의 사고에 깊이 뿌리내린 사상으로 자리잡게 되었다. 생각하는 인간은 이 세상을 합리적으로 규명하기 위해 과거의 기억을 바탕으로 늘 변모하는 사건들의 패턴 뒤에 숨어 있는 영원한 요소를 찾아내려고 했으며, 또한 미래에도 동일하게 그런 요소가 존재할 것이라는 믿음을 지닐 수 있었던 것이다. 이러한 과정을 통해 인간은 시간을 통해서 자신의 모습을 인식할 수 있게 되었다. 즉 인간이 자기 인식을 할 수 있는 존재, 자기 정체성을 확인하는 존재로 거듭나게 된 것이다.

Answer ➡ 6.③ 7.④

① 의표(意表)   ② 당위(當爲)

③ 현혹(眩惑)   ④ 의문(疑問)

⑤ 당혹(當惑)

 ④ 밑줄 친 부분의 문맥적 의미는 인간이 대상에 대해 지닐 수 있는 문제의식이나 의문을 뜻한다.

8 다음 글을 순서대로 바르게 나열한 것은?

(가) 그러나 이런 해명에도 불구하고 우리 주변에서는 각종 난개발이 도처에서 자행되고 있으며, 환경오염은 이제 전 지구적으로 만연해 있는 것이 엄연한 현실이다. 자기 집 부근에 도로나 공원이 생기기를 원하면서도 정작 그 비용은 부담하려고 하지 않는다든지, 남에게 해를 끼치는 일인 줄 뻔히 알면서도 쓰레기를 무단 투기하는 등의 행위를 서슴지 않고 한다. '합리적인 개인'이 '비합리적인 사회'를 초래하고 있는 것이다.

(나) 그러나 개인의 합리적 선택이 반드시 사회적인 합리성으로 연결되지는 못한다는 주장도 만만치 않다. 이른바 '죄수의 딜레마' 이론에서는, 서로 의사소통을 할 수 없도록 격리된 두 용의자가 각각 개인 수준에서 가장 합리적으로 내린 선택이, 오히려 집합적인 결과에서는 두 사람 모두에게 비합리적인 결과를 초래할 수 있다고 설명하고 있다. 즉 다른 사람을 고려하지 않고 자신의 이익만을 추구하는 개인적 차원의 합리성만을 강조하면, 오히려 사회 전체적으로는 비합리적인 결과를 초래할 수 있다는 것이다. 죄수의 딜레마 이론을 지지하는 쪽에서는, 심각한 환경오염 등 우리 사회에 광범위하고 보편적으로 존재하는 문제의 대부분을 이 이론으로 설명하고 있다.

(다) 그렇다면 죄수의 딜레마와 같은 현상을 극복하고 사회적인 합리성을 확보할 수 있는 방안은 무엇인가? 그것은 개인적으로는 도덕심을 고취하고, 사회적으로는 의사소통 과정을 원활하게 하는 것이라고 할 수 있다. 각 개인들이 자신의 욕망을 적절하게 통제하고 남을 배려하는 태도를 지니면 죄수의 딜레마 같은 현상에 빠지지 않고도 개인의 합리성을 추구할 수 있을 것이다. 아울러 서로 간의 원활한 의사소통을 통해 공감의 폭을 넓히고 신뢰감을 형성하며, 적절한 의사수렴과정을 거친다면 개인의 합리성이 보다 쉽게 사회적 합리성으로 이어지는 길이 열릴 것이다.

(라) 일부 경제학자들은 이러한 주장에 대하여 강하게 반발한다. 그들은 죄수의 딜레마 현상이 보편적이고 광범위한 현상이라면, 우리 주위에서 흔히 발견할 수 있는 협동은 어떻게 설명할 수 있느냐고 반문한다. 사실 우리 주위를 돌아보면, 사람들은 의외로 약간의 손해를 감수하더라도 협동을 하는 모습을 곧잘 보여주곤 한다. 그들은 이런 행동들도 합리성을 들어 설명한다. 안면이 있는 사이에서는 오히려 상대방과 협조를 하는 행동이 장기적으로는 이익이 된다는 것을 알기 때문에 협동을 한다는 것이다. 즉 협동도 크게 보아 개인적 차원의 합리적 선택이 집합적으로 나타난 결과로 보는 것이다.

(마) 개인의 합리성과 사회의 합리성은 병행할 수 있을까? 이 문제와 관련하여 고전 경제학에서는, 각 개인이 합리적으로 행동하면 사회 전체적으로도 합리적인 결과를 얻을 수 있다고 말한다. 물론 여기에서 '합리성'이란 여러 가지 가능한 대안 가운데 효용의 극대화를 추구하는 방향으로 선택을 한다는 의미의 경제적 합리성을 의미한다. 따라서 각 개인이 최대한 자신의 이익에 충실하면 모든 자원이 효율적으로 분배되어 사회적으로도 이익이 극대화된다는 것이 고전 경제학의 주장이다.

① (가) - (나) - (라) - (다) - (마)

② (라) - (가) - (나) - (마) - (다)

③ (라) - (나) - (가) - (다) - (마)

④ (마) - (라) - (나) - (가) - (다)

⑤ (마) - (나) - (라) - (가) - (다)

 (마) 문제제시 - (나) 의견제시 - (라) 반론제기 - (가) (라)에 대한 반론 - (다) 해결방안 제시

9 다음 글에 대한 설명으로 옳은 것은?

왜 양지는 음지보다 따뜻할까? 태양이 아무리 뜨겁다고 해도 어떻게 적절한 매질도 없는 우주 공간을 건너 아득히 먼 지구의 물체들을 데울 수 있을까? 이를 이해하기 위해서는 우선 열과 빛의 정체에 대해 명확히 알아야 한다.

18세기 중반까지만 해도 학자들은 열이 눈에 보이지 않는 어떤 물질-'열소'-의 작용이라고 생각하고, 고체가 녹거나 액체가 증발하는 것은 열소와 고체 혹은 액체를 이루는 입자 사이의 화학 작용의 일종이라고 설명했다. 그러나 럼퍼드와 마이어, 줄 등의 연구 성과에 힘입어 '열소'의 존재는 부정되고 대신 '열에너지'의 개념이 확립된다. 열의 정체를 구체적으로 밝힌 것은 클라시우스였는데, 그는 기체의 열에너지는 기체 분자들의 운동에너지이며, 따라서 온도는 기체 분자들이 얼마나 빠르게 운동하고 있는가의 정도를 나타내는 것이라고 주장하였다. 여기에 더해서 맥스웰이 일정한 온도에서 기체 분자의 운동 속도는 평균값을 중심으로 다양하게 분포함을 밝힘으로써, 결국 열은 '물체를 이루고 있는 입자들의 평균 운동에너지'임이 밝혀졌다. 모든 물체의 입자들은 평균 위치를 중심으로 끊임없이 진동 운동이나 회전 운동을 하고 있으며, 온도는 바로 이 운동에너지의 크기를 나타내는 것이다.

빛의 정체에 대해 알기 위해서는 전자기 이론에 대한 이해도 필요한데, 이는 빛이 전자기파의 일종이기 때문이다. 전자기파의 존재는, 전류(전기장)가 자기장을 만들어 냄을 밝혀낸 앙페르의 실험과 자기장에서 전류가 만들어짐을 확인한 패러데이의 실험, 그리고 이를 집대성한 맥스웰의 이론을 통해서 추론이 가능해졌다. 앙페르는 나란히 놓인 도선에 전류를 통과시키면 자기장이 형성된다는 것과 도선을 원통형으로 감아서 만든 코일 – 이를 '솔레노이드'라고 한다. – 에 전류를 흘리면 자성이 강한 자석이 됨을 확인하였고, 패러데이는 전류가 흐르지 않는 코일에 자석을 통과시키면 자석의 자기장의 변화에서 전류가 생겨남을 확인하였다. 전기장은 자기장을 만들어내고, 또 자기장은 다시 전기장을 만들어내는 것이다. 맥스웰은 이러한 실험의 결과들을 정리하여 '맥스웰의 방정식'이라는 이론을 세웠으며, 이 이론을 통해서 전자기파의 존재가 추론될 수 있었다.

도선에 갑자기 전류를 통하게 하거나 전류의 세기를 변화시키면 그 주변에 자기장이 생겨나는데, 이 자기장은 2차적인 전기장을 만들어내고, 이것이 다시 2차적인 자기장을 만든다. 이처럼 전기장이 자기장을 만들고 그 자기장이 다시 전기장을 만드는 과정이 반복되면서 파동으로 퍼져나가는 것이 바로 전자기파이며, 맥스웰은 이 파동의 속도가 빛의 속도와 동일하다는 계산을 해 낸 후 "빛 자체도 일종의 전자기파이다."라는 천재적인 결론을 내린다. 소리처럼 물질이 실제로 떨리는 역학적 파동과는 달리, 빛은 전기장과 자기장의 연속적인 변화를 반복하면서 전파해 가는 전자기 파동인 것이다. 이후 과학자들에 의해 전자기파가 매질 없이도 전파된다는 것까지 확인되면서, 햇빛이 텅 빈 우주 공간을 건너올 수 있는 이유를 알게 되었다.

태양에서 오는 것은 열의 입자가 아니라 전자기파이며, 이것이 어떤 물체에 닿았을 때 그 물체를 진동으로 간섭한다. 그리고 이 진동이 물질의 입자들과 상호 작용하여 그 입자들의 운동을 일으키고 결과적으로는 물질의 온도를 높인다. 이러한 과정을 통해서 태양의 빛은 아무런 매개물 없이 우주를 건너와 지구의 물체를 데울 수 있는 것이다.

① 현상의 과학적 원리를 구체적으로 설명하고 있다.
② 특정 이론이 형성된 사회적 배경을 설명하고 있다.
③ 새로 발견된 과학 원리의 응용 가능성을 전망하고 있다.
④ 상반된 관점의 해석을 종합하기 위한 방안을 모색하고 있다.
⑤ 기존 이론의 한계를 지적하고 대안의 방향을 제시하고 있다.

(Tip) ① 태양의 빛이 지구의 물체들을 데우는 현상의 과학적인 원리를 구체적으로 설명하고 있다.

Answer↪ 9.①

10 다음 글의 내용을 토대로 알 수 있는 사실은?

우리나라의 전통 음악은 대체로 크게 정악과 속악으로 나뉜다. 정악은 왕실이나 귀족들이 즐기던 음악이고, 속악은 일반 민중들이 가까이 하던 음악이다.

개성을 중시하고 자유분방한 감정을 표출하는 한국인의 예술 정신은 정악보다는 속악에 잘 드러나 있다. 우리 속악의 특징은 한 마디로 즉흥성이라는 개념으로 집약될 수 있다. 판소리나 산조에 '유파(流派)'가 자꾸 형성되는 것은 모두 즉흥성이 강하기 때문이다. 즉흥으로 나왔던 것이 정형화되면 그 사람의 대표 가락이 되는 것이고, 그것이 독특한 것이면 새로운 유파가 형성되기도 하는 것이다.

물론 즉흥이라고 해서 음악가가 제멋대로 하는 것은 아니다. 곡의 일정한 틀은 유지하면서 그 안에서 변화를 주는 것이 즉흥 음악의 특색이다. 가령 판소리 명창이 무대에 나가기 전에 "오늘 공연은 몇 분으로 할까요?" 하고 묻는 것이 그런 예다. 이 때 창자는 상황에 맞추어 얼마든지 곡의 길이를 조절할 수 있는 것이다. 이것은 서양 음악에서는 어림없는 일이다. 그나마 서양 음악에서 융통성을 발휘할 수 있다면 가령 4악장 가운데 한 악장만 연주하는 것 정도이지 각 악장에서 조금씩 뽑아 한 곡을 만들어 연주할 수는 없다. 그러나 한국 음악에서는, 특히 속악에서는 연주 장소나 주문자의 요구 혹은 연주자의 상태에 따라 악기도 하나면 하나로만, 둘이면 둘로 연주해도 별문제가 없다. 거문고나 대금 하나만으로도 얼마든지 연주할 수 있다. 전혀 이상하지도 않다. 그렇지만 베토벤의 운명 교향곡을 바이올린이나 피아노만으로 연주하는 경우는 거의 없을 뿐만 아니라, 설령 연주를 하더라도 어색하게 들릴 수밖에 없다.

즉흥과 개성을 중시하는 한국의 속악 가운데 대표적인 것이 시나위다. 현재의 시나위는 19세기말에 완성되었으나 원형은 19세기 훨씬 이전부터 연주되었을 것으로 추정된다. 시나위의 가장 큰 특징은 악보 없는 즉흥곡이라는 것이다. 연주자들이 모여 아무 사전 약속도 없이 "시작해 볼까" 하고 연주하기 시작한다. 그러니 처음에는 서로가 맞지 않는다. 불협음 일색이다. 그렇게 진행되다가 중간에 호흡이 맞아 떨어지면 협음을 낸다. 그러다가 또 각각 제 갈 길로 가서 혼자인 것처럼 연주한다. 이게 시나위의 묘미다. 불협음과 협음이 오묘하게 서로 들어맞는 것이다.

그런데 이런 음악은 아무나 하는 게 아니다. 즉흥곡이라고 하지만 '초보자(初步者)'들은 꿈도 못 꾸는 음악이다. 기량이 뛰어난 경지에 이르러야 가능한 음악이다. 그래서 요즈음은 시나위를 잘 할 수 있는 사람들이 별로 없다고 한다. 요즘에는 악보로 정리된 시나위를 연주하는 경우가 대부분인데, 이것은 시나위 본래의 취지에 어긋난다. 악보로 연주하면 박제된 음악이 되기 때문이다.

요즘 음악인들은 시나위 가락을 보통 '허튼 가락'이라고 한다. 이 말은 그대로 '즉흥 음악'으로 이해된다. 미리 짜 놓은 일정한 형식이 없이 주어진 장단과 연주 분위기에 몰입해 그때그때의 감흥을 자신의 음악성과 기량을 발휘해 연주하는 것이다. 이럴 때 즉흥이 튀어 나온다. 시나위는 이렇듯 즉흥적으로 흐드러져야 맛이 난다. 능청거림, 이것이 시나위의 음악적 모습이다.

① 판소리나 산조는 유파를 형성하기 위하여 즉흥적인 감정을 표출하기도 한다.

② 오늘날 시나위를 잘 계승·보존하기 위해서는 악보를 체계적으로 정리해야 한다.

③ 속악과 마찬가지로 정악도 악보대로 연주하는 것보다 자연발생적인 변주를 중시한다.

④ 불협음과 협음이 조화를 이루는 시나위를 연주하기 위해서는 연주자의 기량이 출중해야 한다.

⑤ 교향곡을 서양 악기 하나로 연주하는 것이 어색하듯, 시나위를 전통 악기 하나로 연주하는 것도 어색하다.

> (Tip) ④ 시나위는 즉흥곡이지만, 초보자는 감히 엄두를 내기 어려울 정도로 기량이 뛰어난 경지에 이르러야 가능하다.

11 (가)~(마)에 대한 설명으로 적절하지 않은 것은?

(가) 화석 연료의 재앙을 막을 대체 에너지원은 무엇일까. 현재 가장 가능성을 인정받는 것은 바로 '수소'이다. 바닷물만큼 흔하나 원료 공급원이 있고, 사용 과정에서나 사용 후에 다시 물로 순환되는 재생 가능한 에너지원이기 때문이다. 게다가 환경 문제를 해결하는 청정 에너지라는 장점도 있다. 화석 연료는 사용 후에 산화 질소와 분진 등 대기 오염 물질을 내뿜어 지구 온난화에 치명적인 영향을 끼친다. 이에 비해 수소는 무해 가스여서 공기 중에 유출되더라도 위험이 없다. 이런 수소 연료 전기는 물론 놀라운 폭발력을 자랑하는 미사일과 제트기의 추진 연료, 화학 공장의 공정 가스 등으로 쓰인다. 이들은 수소 특유의 폭발력을 이용한 것들이다.

(나) 수소 에너지는 화석 연료나 원자력이 넘볼 수 없는 장점을 갖고 있다. 무엇보다 석유 매장지가 중동 등에 밀집된 것과는 달리 수소는 지구촌 어디에서나 물을 통해 손쉽게 얻을 수 있다. 수원지 확보 전쟁이 벌어질 염려도 없다. 물의 전기 분해로 만들기 때문에 얼마든지 재생 가능하다. 어느 나라든 기술력과 경제력만 있으면 얼마든지 수소를 에너지로 전환할 수 있는 것이다. 게다가 수소는 연소할 때 공해 물질이 거의 없는 청정 에너지원이다. 현재 대부분의 수소는 석유나 천연가스, 석탄 등 화석 연료에서 나온다. 화석 연료를 처리하는 과정에서 수증기와 함께 배출되는 것이다. 수소가 연료로 전환되는 과정은 단순하다. 가장 오래된 방법인 전기 분해법은 H_2O 분자에 전자 이온으로 충격을 가해 수소를 분리한다. 분리된 수소는 연료 전지 속에서 산소와 재결합해 전기를 띤 이온이 모터를 돌리게 된다. 부산물이라고 해 봐야 수증기 형태의 물 분자밖에 없다.

(다) 이렇듯 수소는 온실 가스를 배출할 염려도 없고 지구 온난화의 재앙을 떠올리지 않아도 된다. 이런 가능성을 바탕으로 1992년 캐나다 밸러드 파워 시스템즈(Ballard Power Systems)사는 수소 동력 버스를 선보이기도 했다. 이 버스는 150kw(킬로와트)의 힘을 냈다. 하지만 수소 연료는 오랫동안 단지 가능성에 지나지 않았다. 휘발유만큼이나 인화성이 강한 수소를 담을 탱크와 컨테이너 기술을 확보하기 힘들었던 까닭이다. 수소가 미래의 궁극적인 에너지 시스템으로 자리잡을 가능성을 부정하는 연구자는 현재 거의 없다. 그렇다고 수소가 다루기 쉬운 에너지원인 것은 아니다. 일부 과학자들은 수소 저장 장치를 차량에 장착하는 데 따른 강력한 위험성을 경고한다. 현재 차량의 주요 에너지원으로 쓰이는 가솔린이나 천연가스 등보다 훨씬 민감하게 반응하기 때문이다. 폭발 과정에서 엄청난 사고를 일으킬 위험이 도사리고 있는 것이다.

㈑ 이러한 위험성에도 불구하고 수소의 장점을 무시할 수는 없는 일이다. 수소 자동차는 가솔린을 사용하는 자동차보다 열효율이 우수하다. 또한 내연 기관의 일부만 개량해도 수소를 연료로 사용할 수 있다. 하지만 아직까지는 기존의 연료 탱크를 수소 저장 탱크로 바꾸는 데 안정성을 확보하지 못했다. 일본의 무사시 기술 연구소와 독일의 BMW 등이 액체 수소 저장 탱크를 장착한 수소 자동차를 개발하고 있다. 국내에서도 현대자동차가 수소 저장 합금을 이용한 수소 자동차 시제품을 제작하기도 했다. 요즘에는 연료 전지로 구동하는 수소 자동차 연구가 놀라운 성과를 거두고 있다.

㈒ 최근 수소는 궁합이 맞는 촉매제를 만나 최후의 청정 연료로 거듭날 태세다. 꿈의 촉매제는 세탁비누에 들어가는 성분인 '보랙스(Borax)'다. 분말 형태의 보랙스를 물에 녹이면 연료 전지 자동차에 동력을 공급한다. 보랙스가 나트륨 붕소수소화물을 만나 반응하면서 수소 기체가 형성되고 공기에서 유입되는 산소와 함께 연료 전지를 작동시키는 것이다. 이를 이용하면 특별한 수소 저장 탱크가 없어도 수소를 연료로 사용할 수 있다. 보랙스를 이용해 수소 자동차를 운행하면 연료 전지에 수소를 공급하는 나트륨형 자동차보다 성능을 높일 수 있다. 나트륨형 자동차는 자동차 속도를 0에서 27킬로미터까지 높이는 데 16초나 걸린다. 이에 비해 나트륨 붕소수소화물은 로켓 추진 연료로 쓰일 정도로 폭발력이 좋아 성능을 크게 개선시킬 것으로 예상된다.

① ㈎에서는 수소 에너지가 화석 연료에 비해 우수한 점을 거론하여 대체 에너지로서의 가능성을 부각시키고 있다.

② ㈏에서는 수소 에너지가 갖는 장점 중 ㈎에서 제기한, '구하기 쉽다는 점'과 '청정 에너지라는 내용'을 구체화하고 있다.

③ ㈐에서는 수소 에너지의 실제 활용 사례를 통해 실생활의 활용 가능성과 그에 따른 위험성, 그리고 발전 전망을 보여주고 있다.

④ ㈑에서는 수소 자동차 연구의 성과를 거론하여 수소 연료 개발에 국가 차원에서 투자를 해야 함을 주장하고 있다.

⑤ ㈒에서는 수소에 적합한 촉매제의 역할과 이를 통해 한 단계 진일보할 수소 에너지의 발전 전망을 제시하고 있다.

(Tip) ④ ㈑에서는 수소 자동차 연구의 성과를 거론하며 실제 사용된 예를 들고 있지만, 국가 차원에서 투자를 주장하고 있지는 않다.

12 다음 글의 논지로 가장 적절한 것은?

현재 실학은 대체로 '성리학의 이념 논쟁을 극복하고 근대 사회를 지향했던 조선 후기의 진보적 사상'이라고 이해된다. 그런데 이런 상식적 정의의 이면에는 다른 문제가 포함되어 있다. 사람들이 실학이라는 이름으로 끌어내고자 하는 무언가가 있었기 때문이다. 근현대 학자들이 조선 후기의 학풍을 실학이라고 정의하고 주목했던 데에는 실학에서 '우리 스스로 근대화할 수 있는 힘'을 찾으려는 의도가 깔려 있다. 어떤 학자들은 실학을 봉건 지형을 뚫고 올라온 근대적인 사상이라고 파악하고 외세의 침략 같은 다른 외적인 요인들이 아니었다면 실학을 통해 우리 스스로가 근대화를 이룰 수 있었을 것이라고 생각했다. 이런 생각이 크게 잘못된 것은 아니다. 그러나 이런 측면을 지나치게 부각할 경우 문제가 생길 수 있다.

먼저 지적할 것은 지나치게 이전 학문과의 불연속을 강조하면 문제가 일어날 수 있다는 점이다. 이전의 학문이란 성리학 내지는 유학을 말한다. 물론 조선 후기의 사상적 흐름은 기존의 조선 성리학과는 다른 것이었다. 조선 성리학이 지나치게 이론적 공방을 펼치느라 현실의 문제를 등한시했고 이에 따른 반동으로 실학이 나타났다는 평가도 크게 틀리지 않다. 그러나 이들이 모두 과거의 학문을 극복해야 할 '적'으로 생각했다는 것은 옳은 평가가 아니다. 성리학적 논쟁에 빠져서 사회 변화에 대처하지 못하는 풍토에 대해서는 경계하고 비판했지만 이들이 자기가 성장한 토양을 완전히 부정하고 새로운 사상을 시도했다고 볼 수는 없다.

조선 후기에 활동했던 이른바 실학자들은 대부분 유학의 경전에서 시대를 바꿀 힘을 찾았다. 청나라에서 들어온 고증학과 서학도 이들에게 큰 충격과 영향을 주었지만 궁극적으로 이들의 토대가 된 것은 고대 유학이었다. 결과적으로 이들은 유학의 전제들을 바탕으로 다양한 분야를 연구했다는 점에서 유학을 비판적으로 계승해 시대의 요구에 부응하고자 했던 사람들이라고 할 수 있다. 더 나아가 실학자들이 모두 근대적이고 진보적이었다고 보는 것도 무리가 있다. 실학자로 분류되는 학자들 중에는 보수적이고 복고적인 성향을 보이는 경우도 많다.

조선 후기의 학풍이 성리학을 넘어서려 했다는 점은 사실이다. 많은 학자들이 개방적이고 진보적인 태도로 자기 전통을 극복하고자 했고 새로운 세계관을 활용하고자 했다. 이들은 진취적으로 근대적인 가치를 향해 생각을 바꿔 나갔다. 그러나 그것이 자기 전통과의 완전한 단절을 의미하지는 않는다. 어떤 학자들은 실학자들이 거부했던 것은 고답적인 조선의 성리학적 분위기, 또는 오직 주희만을 숭상하는 경직된 '주자학'이었지 유학이라는 학문적 토대 전체는 아니었다고 평가하기도 한다. 어떤 학문도 자기가 성장한 토대와 전제를 완전히 거부하거나 부정할 수는 없는 것이 현실이다.

이처럼 실학은 복합적인 요인과 다양한 학자들이 만들어 낸 스펙트럼이기 때문에 단편적으로만 이해하면 도리어 조선 후기의 사상적 의의와 풍요로움을 놓칠 수 있다. 이런 파(派)니 저런 파니 하면서 실학을 억지로 일정한 도식에 넣어 이론을 정당화하기보다는 각 사상가들의 주장을 들어 보고 그들이 진짜 원했던 것이 무엇인지를 따져 보는 것이 실학을 제대로 이해하는 올바른 길일 것이다.

① 실학자들이 지녔던 혁신적 자세를 계승해야 한다.
② 실학에 미친 유학과 서학의 영향을 함께 고려해야 한다.
③ 실학자들이 지닌 개혁성과 보수성을 균형 있게 다뤄야 한다.
④ 실학이 봉건 사회를 근대화한 주체적 학문임을 자부해야 한다.
⑤ 실학에 대한 획일적 시각에서 벗어나 다채로운 면모를 살펴야 한다.

 ⑤ 이 글은 전체적으로 실학에 대한 상식적 정의, 즉 실학의 진보적이고 근대적인 측면만을 강조하는 획일적 시각에 문제가 있음을 지적하고 있다. 또한 이 글의 마지막 문단에서 실학이 복합적인 요인과 다양한 학자들이 만들어 낸 스펙트럼임을 언급한 후, 각 사상가들의 주장에 대한 면밀한 고찰이 필요함을 강조하고 있다.

Answer↱ 12.⑤

13 다음 글의 밑줄 친 '시각적 의미'에 대해 이해한 것으로 적절한 것은?

근대 사진과 현대 사진은 '읽는 사진'과 '느끼는 사진'이라는 말로 그 성격을 간명히 규정할 수 있다. 근대 사진은 문학성과 결합하면서 논리적 체계를 따랐기 때문에 그 의미를 읽어 낼 수가 있었다. 그러나 영상의 시각성에 충실한 현대 사진은 감각적으로 느껴질 뿐, 논리적 사고나 추리로는 이해할 수가 없다. 현대 사진은 이렇게 시각을 통해서만 뜻이 전달되기 때문에 <u>시각적 의미</u>'이며, 느낌으로밖에 접근할 수 없기 때문에 '느끼는 사진'인 것이다.

근대 사진이라고 해서 시각성이 무시되었다는 것은 아니다. 사진이 시각 예술인 이상 시각이 전달 수단의 모든 것이었지만 근대 사진의 시각성은 언어로도 표현 가능한 내용을 구체적으로 제시하기 위한 수단이었다. 그런 사진은 말로 설명할 수 있고, 들어서 이해할 수 있었다. 무엇보다 사람들의 생활을 다른 사람들에게 이해시키고 호소하기 위한 것이 주목적이었기 때문에 여러 사람의 이해를 구하기 위해서라도 난해할 수가 없었다. 이런 경우도 '시각적 의미'의 범주에 든다고 할 수는 있다.

그러나 현대 사진에서 말하는 '시각적 의미'는 좀 더 심화된 의미, 다시 말해서 언어 밖의 세계를 감지해서 전달하기 위한 유일한 신경 체계로서의 시각성을 뜻한다. 첫째, 말로 표현할 수 없는 독특한 상황 또는 분위기를 뜻한다. 상황 자체가 비상식적이거나 이질적인 사물들의 조합에서 오는 시각적 불안이나 신비를 포함하기도 한다. 현실에 존재하는 사물의 조합이면서도 그 조합이 작가의 상상이나 주관에 의해 자의적으로 얽혀 있어 상식과 현실 감각으로는 이해할 수 없다.

둘째, 비현실적인 시공간의 추상적 상황을 뜻한다. 현실이란 연속된 시간과 공간 안에서 지속적으로 이루어지는 상황, 곧 변화를 일컫는 말이다. 그러한 연속적 시공간이 사진으로 정착될 때는 어쩔 수 없이 어느 특정한 시공간만이 분리되어 현실성을 상실한다. 과거에는 이미지에 현실성을 집어넣기 위해 고심했지만 현대 사진은 비현실성을 적극적으로 수용한다. 특히 프레임의 인위성을 적극적으로 수용하여 생기는 초정보성이 주요 테마로 등장하고 있다.

셋째, 사진에서 흔히 볼 수 있는 조형미도 '시각적 의미'의 중요 목록 중 하나이다. 조형적 사진은 과거의 사진에서도 흔히 볼 수 있었지만 근대 사진의 조형성이 객관적이고 형태적이었다면 현대 사진은 주관적이고 심리적이다. 과거의 조형이 실제 사물에 대한 시각적 반응으로 자연의 조형미를 그대로 취한 것이었다면 현대 사진은 주관적 정감 표현을 위한 인위적 구성이라 할 수 있다.

결론적으로 말해서 '시각적 의미'란 사물이 본래 의미에서 해체되어 일정한 프레임 안에서 재구성됨으로써 새로 탄생한 시각적 이미지를 가리키는 말이다. 그리고 현대 사진에서 '시각적 의미'가 부각되고 있는 것은 그것이 사진 발명 이래 하나의 커다란 과제에 이어져 있기 때문이다. 현실적 사물에 묶여 형태를 벗어날 수 없는 사진이 찾아낸 추상으로의 넓은 길. 작가의 본능이 원형질 그대로 잠겨 있는 추상의 깊은 바다로의 잠수. '시각적 의미'를 찾는 참된 의미가 여기에 있다.

① 감각적 수용보다 논리적 사고를 전제로 한다.

② 사물이 가진 본래 의미를 이미지로 추구한다.

③ 작가의 주관적 감정과 본능을 표현하고자 한다.

④ 현실이 변화하는 양상을 프레임에 담고자 한다.

⑤ 언어를 더욱 구체화하기 위한 시각적 이미지이다.

 5문단의 마지막 문장에서 현대 사진은 '주관적 정감 표현을 위한 인위적 구성'이라 하였고, 6문단의 마지막에서 시각적 의미를 찾는 참된 의미가 '작가의 본능이 원형질 그대로 잠겨 있는 추상의 깊은 바다로의 잠수'라고 하였으므로 ③이 정답이다.

14 다음 글을 순서대로 바르게 나열한 것은?

> 유명인 모델의 광고 효과를 높이기 위해서는 유명인이 자신과 잘 어울리는 한 상품의 광고에만 지속적으로 나오는 것이 좋다.
>
> (가) 여러 광고에 중복 출연하는 유명인이 많아질수록 외견상으로는 중복 출연이 광고 매출을 증대시켜 광고 산업이 활성화되는 것으로 보일 수 있다.
>
> (나) 유명인을 비롯한 광고 모델의 적절한 선정이 요구되는 이유가 여기에 있다.
>
> (다) 하지만 모델의 중복 출연으로 광고 효과가 제대로 나타나지 않으면 광고비가 과다 지출되어 결국 광고주와 소비자의 경제적인 부담으로 이어진다.
>
> (라) 이렇게 할 경우 상품의 인지도가 높아지고, 상품을 기억하기 쉬워지며, 광고 메시지에 대한 신뢰도가 제고된다.
>
> (마) 유명인의 유명세가 상품에 전이되고 소비자가 유명인이 진실하다고 믿게 되기 때문이다.

① (가)(나)(라)(다)(마)
② (가)(마)(라)(나)(다)
③ (라)(가)(마)(나)(다)
④ (라)(마)(가)(다)(나)
⑤ (마)(라)(다)(나)(가)

(라) 유명인 모델이 한 상품의 광고에만 지속적으로 나올 경우의 장점에 대해 말하고 있으므로 첫 문장의 다음에 바로 이어지는 것이 적절하다.

(마) (라)에 대한 부가적인 설명이다.

(가) (라)와 반대되는 사례를 들고 있다.

(다) '하지만'이 나오는 것으로 보아, 앞의 내용에 대한 부정적인 내용이 온다는 것을 알 수 있다. 모델의 중복 출연에 대한 단점에 대한 내용이므로 (가)의 뒤에 오게 된다.

(나) 전체적인 결론에 대한 내용이다.

15 다음 중 ⊙의 예로 적절한 것은?

> 언어 표현은 표현하려고 하는 대상에 대한 내포적인 뜻이나 외연적인 뜻을 표현한다. '내포(內包)'는 대상에 대해 화자가 떠올릴 수 있는 개인적인 느낌, 감정, 연상, 추측 등을 말한다. 가령 '봄'이라는 대상에 대해 화자는 한가롭고 포근한 마음을 느낄 수도 있고, 화창하고 생기발랄함을 느낄 수도 있으며, 어떤 시인처럼 잔인함을 느낄 수도 있다. '외연(外延)'은 그 대상이 객관적으로도 적용되는 범위, 사실을 말한다. 가령 '봄'이라는 대상에 대하여 일 년 중의 어떤 계절이며 평균 기온과 자연적인 특징 등 있는 그대로의 현상을 적용하며 그 뜻을 생각해 볼 수 있다.
>
> 사람들은 어떤 것을 생각할 때 이러한 두 가지 사고법, 곧 ⊙내포적인 사고와 외연적인 사고로 생각한다. 이 중에서도 흔히 하는 것이 내포적인 사고이다. 우리는 어떤 것을 생각할 때 사실을 보지 않고 대상의 내포적인 의미만 생각하면서 자신은 사실에 대하여 생각한다고 착각하기 쉽다. 내포적 사고는 마음 세계의 일이고 객관의 세계, 즉 사실의 세계와는 차원을 달리하고 있음에도 불구하고, 우리는 종종 말과 사실을 동일시하고 잘못된 판단을 내리기 쉽다.
>
> 반면에 우리들이 외연적인 사고를 하는 것은 사실을 발견하고 입증하고 직접 경험에 주의를 기울여 주관에 치우치지 않으려는 노력이 포함된다. 우리가 일상적으로는 나의 일이 아닌 남의 일, 세상의 일에 대해서는 외연적인 사고를 하기가 어렵다. 외연적인 사고는 사실을 일반으로 하고 있어야 하는데, 그러한 사실의 직접 확인은 현실적으로 어렵기 때문이다.

① 나는 어제 시골이 있는 할아버지 댁을 방문했다.

② 백남준은 한국이 낳은 세계적인 예술가 중 한 사람이야.

③ 20세기 초에도 우리나라에는 외국인들이 거주하고 있었다.

④ 요즘 청소년들은 십 년 전 청소년들에 비해 신체 조건이 좋다.

⑤ 바람에 흔들리는 나뭇가지의 소리로 보아 태풍이 올 것이 분명해.

 ⑤ 개인적인 추측에 해당하므로 내포적인 사고의 예에 해당한다.
①②③④ 외연적인 사고의 사례

Answer ➔ 14.④ 15.⑤

16 다음 제시된 글에서 언급한 내용이 아닌 것은?

(가) 현대의 정보 혁명은 광섬유에서 비롯되었다고 말할 수 있다. 사실 머리카락보다 더 가는 광섬유 한 가닥을 통해 구리로 만든 전화선 1만 회선 이상 분량의 정보를 전달할 수 있으니 그런 말이 나올 법하다. 광섬유는 빛 신호로 음성 및 화상 신호를 전송해 주는 매체이다. 19세기에 J. 틴들이 자유 낙하하는 물줄기 속에서 빛이 빠져 나가지 않고 진행할 수 있다는 것을 보였는데, 이것이 광섬유에 대한 원리가 공식적으로 발표된 최초이다. 그 후 20세기 초반에 이르러 유리로 된 광섬유가 나타났지만, 그 당시의 광섬유는 전달 과정에서 상당한 양의 빛의 손실이 있었으므로 장거리용으로 사용하기는 불가능했다. 다만 짧은 길이의 광섬유 다발로 만들어, 그것의 한쪽 끝에 맺힌 영상(映像)을 다른 쪽 끝으로 전달시키는 용도에만 쓰이고 있었다. 광섬유를 이용하여 정보를 장거리까지 전달하게 된 것은 1960년대 중반에 이르러서였다.

(나) 그러면 빛이 어떻게 손실 없이 장거리를 가느다란 광섬유 가닥을 통해서 전달될까? 바로 굴절률이 다른 투명체의 경계면에서 빛이 입사하는 각도가 조건에 맞을 경우 빛이 완전 반사가 일어난다는 사실을 이용하는 것이다. 즉, 광섬유의 도관 부분에 해당하는 중심 부분을 굴절률이 높고 투과성이 좋은 석영 혹은 아크릴 계통의 합성 플라스틱으로 만들고, 도관의 표면에 해당하는 부분을 굴절률이 낮은 불소 계통의 플라스틱으로 코팅하면 빛은 두 개의 굴절률이 다른 투명한 플라스틱들의 경계면에서 마치 물이 새지 않고 도관을 통과하듯이 손실 없이 완전 반사를 하면서 광섬유를 통과하게 된다.

(다) 따라서 굴절률뿐만 아니라 재료의 투명성도 빛을 전달하기 위한 재료의 핵심적인 요소이다. 그렇다면 합성 플라스틱 재료가 어떻게 유리처럼 투명할 수 있을까? 광섬유에 사용되는 플라스틱 재료는 단량체라고 불리는 기본 단위들이 사슬처럼 아주 길게 연결된 형태의 분자들로 구성되어 있다. 이러한 긴 분자들이 마치 사발에 담겨 있는 국수처럼 마구잡이 형태로 엉킨 무정형(無定形)으로 되어 있기 때문에 유리처럼 투명하게 되는 것이다. 특히, 플라스틱 섬유는 기존의 유리 섬유와는 달리 유연하고 어지간한 충격에도 잘 견디고 쉽게 성형할 수 있으며 무엇보다도 가볍다는 장점을 가지고 있다. 광섬유의 가장 기본적이고 중요한 역할이라면 국소화, 분할화하여 필요한 부분만을 조명하고, 직진하는 빛을 자유롭게 구부려서 원하는 곳으로 전달하는 광제어일 것이다.

(라) 이러한 관점에서 유연성이 큰 플라스틱 광섬유의 출현은 광전달용 통신 재료뿐만 아니라 인체의 가느다란 핏줄 내부의 이상 유무까지도 알아 낼 수 있는 미세 의학용 내시경의 실용화를 이끄는 역할을 하게 되었으므로, 광섬유는 정보화의 핵심이라고 해도 과장된 말은 아닐 것이다. 이 밖에도 공업용, 자동차용 조명센서에서 네온사인이나 전광판 대신에 새로운 표시 시스템 장치까지 광섬유의 용도는 극히 넓다고 할 수 있다.

① 광섬유의 내부 구조

② 광섬유의 다양한 이용 분야

③ 광섬유가 개발되기까지의 과정

④ 광섬유가 빛을 전달하는 원리

⑤ 광섬유 시대를 사는 현대인의 자세

 (개) 광섬유가 개발되기까지의 과정에 대해 설명하고 있다.

(내)·(다) 광섬유의 내부 구조 및 빛을 전달하는 원리에 대해 설명하고 있다.

(라) 광섬유의 다양한 이용 분야에 대해 설명하고 있다.

Answer⤷ 16.⑤

17 강연의 내용을 고려할 때 ㉠에 대한 대답으로 가장 적절한 것은?

여러분 안녕하세요. 저는 타이포그래피 디자이너 ○○○입니다. 이렇게 사내 행사에 초청받아 타이포그래피에 대해 소개하게 되어 무척 기쁩니다.

타이포그래피는 원래 인쇄술을 뜻했지만 지금은 그 영역이 확대되어 문자로 구성하는 디자인 전반을 가리킵니다. 타이포그래피에는 언어적 기능과 조형적 기능이 있는데요, 그 각각을 나누어 말씀드리겠습니다.

먼저 타이포그래피의 언어적 기능은 글자 자체가 가지고 있는 의미전달에 중점을 두는 기능을 말합니다. 의미를 정확하게 전달하기 위해서는 가독성을 높이는 일이 무엇보다 중요하지요. (화면의 '작품1'을 가리키며) 이것은 여러분들도 흔히 보셨을 텐데요, 학교 앞 도로의 바닥에 적혀 있는 '어린이 보호 구역'이라는 글자입니다. 운전자에게 주의하며 운전하라는 의미를 전달해야 하므로 이런 글자는 무엇보다도 가독성이 중요하겠지요? 그래서 이 글자들은 전체적으로 크면서도 세로로 길게 디자인하여 운전 중인 운전자에게 글자가 쉽게 인식될 수 있도록 제작한 것입니다.

이어서 타이포그래피의 조형적 기능을 살펴보겠습니다. 타이포그래피의 조형적 기능이란 글자를 재료로 삼아 구체적인 형태의 외형적 아름다움을 전달하는 기능을 말합니다. (화면의 '작품2'를 가리키며) 이 작품은 '등'이라는 글씨의 받침 글자 'ㅇ'을 전구 모양으로 만들었어요. 그리고 받침 글자를 중심으로 양쪽에 사선을 그려 넣고 사선의 위쪽을 검은색으로 처리했어요. 이렇게 하니까 마치 갓이 씌워져 있는 전등에서 나온 빛이 아래쪽을 환하게 밝히고 있는 그림처럼 보이지요. 이렇게 회화적 이미지를 첨가하면 외형적 아름다움뿐만 아니라 글자가 나타내는 의미까지 시각화하여 전달할 수 있습니다.

(화면의 '작품3'을 가리키며) 이 작품은 '으'라는 글자 위아래를 뒤집어 나란히 두 개를 나열했어요. 그러니까 꼭 사람의 눈과 눈썹을 연상시키네요. 그리고 'ㅇ' 안에 작은 동그라미를 세 개씩 그려 넣어서 눈이 반짝반짝 빛나고 있는 듯한 모습을 표현했습니다. 이것은 글자의 의미와는 무관하게 글자의 형태만을 활용하여 제작자의 신선한 발상을 전달하기 위한 작품이라고 할 수 있습니다.

지금까지 작품들을 하나씩 보여 드리며 타이포그래피를 소개해 드렸는데요, 한번 정리해 봅시다. (화면에 '작품1', '작품2', '작품3'을 한꺼번에 띄워 놓고) ㉠좀 전에 본 작품들은 타이포그래피의 어떤 기능에 중점을 둔 것일까요?

① '작품1'은 운전자가 쉽게 읽을 수 있도록 글자를 제작하였으므로 타이포그래피의 언어적 기능에 중점을 둔 것이라 할 수 있습니다.

② '작품2'는 글자가 나타내는 의미와 상관없이 글자를 작품의 재료로만 활용하고 있으므로 타이포그래피의 조형적 기능에 중점을 둔 것이라 할 수 있습니다.

③ '작품3'은 회화적 이미지를 활용하여 글자의 외형적 아름다움을 표현했으므로 타이포그래피의 언어적 기능에 중점을 둔 것이라 할 수 있습니다.

④ '작품1'과 '작품2'는 모두 글자의 색을 화려하게 사용하여 의미를 정확하게 전달하고 있으므로 타이포그래피의 언어적 기능에 중점을 둔 것이라 할 수 있습니다.

⑤ '작품2'와 '작품3'은 모두 글자의 외형적 아름다움을 통해 글자의 의미 전달을 돕고 있으므로 타이포그래피의 조형적 기능에 중점을 둔 것이라 할 수 있습니다.

② '작품2'는 회화적 이미지를 첨가하여 외형적 아름다움뿐만 아니라 글자가 나타내는 의미까지 시각화하여 전달하였으므로 글자가 나타내는 의미와 상관없이 글자를 작품의 재료로만 활용하고 있다고 볼 수 없다.

③ '작품3'은 글자의 의미와는 무관하게 글자의 형태만을 활용하여 제작자의 신선한 발상을 전달하기 위한 작품으로 타이포그래피의 조형적 기능에 중점을 둔 것이라고 할 수 있다.

④ '작품1'은 가독성을 중시하였으며 타이포그래피의 언어적 기능에 중점을 둔 것이라고 할 수 있다. 그러나 '작품2'는 타이포그래피의 조형적 기능에 중점을 두면서 글자의 의미를 시각화해 전달한 작품이다.

⑤ '작품3'은 조형적 기능에 중점을 두었지만 글자의 의미 전달을 돕고 있지는 않다.

18 ⓐ ~ ⓔ의 사전적 의미로 적절하지 않은 것은?

오늘날 대중 사회에서 예술이 상품화 논리에 지배되면서 창조성을 바탕으로 한 예술 자체의 고유한 가치를 잃어버렸다는 지적이 적지 않다. 대중 사회에서 예술의 상품화 현상을 가장 먼저 체계화한 이들이 프랑크푸르트학파라고도 불리는 비판 이론가들인데, 그 대표적 이론가인 호르크하이머와 아도르노는 「계몽의 변증법」에서 20세기 예술이 대중문화 현상에 지배적인 영향을 받아 부정적인 ⓐ양상으로 전개되고 있다고 지적했다. 그들은 예술이나 문화가 모두 상품화되면서 인간의 새로운 가치를 ⓑ창출한다는 예술의 본래 임무가 흐지부지되었다고 주장한다. 예술 혹은 문화의 상품화는 문화 산업이라는 용어로 요약할 수 있는데, 이 말을 처음 사용한 사람들이 비판 이론가들이다. 그들은 문화 산업을 문화 혹은 예술이 자신의 고유한 기능을 상실하고 상품으로 전락해 버린 부정적인 현상을 ⓒ지칭하는 용어로 사용했다.

그들은 문화 산업이 감성적 세계의 전 영역을 지배하면서 "하자 없는 규격품을 만들듯이 인간들을 재생산하려 든다."라고 주장한다. 예술은 본래 인간의 감성을 확장하고 그것을 창조적인 방향으로 이끌어야 하는데, 문화 산업에 편입된 예술은 인간의 감성을 확장하거나 창조적인 방향으로 이끌기는커녕 도리어 감성을 획일화하고 ⓓ타성에 젖게 만든다는 것이다.

비판 이론가들에 따르면, 대중 사회에서 대중 예술은 새로운 자극을 주지 못한다. 대중음악을 예로 들자면, 거의 모든 음악이 천편일률적으로 몇 개의 동일한 코드만을 반복하기 때문이다. 대중은 깨닫지 못하지만 형식적으로 보면 거의 모든 음악이 동일한 형태를 취하고 있는 것이다. 특히 아도르노는 재즈를 사례로 들며 그 형식의 천박함을 공격했다. 그가 보기에, 완전히 새로운 음계를 만들어 낸 쇤베르크* 같은 고전 음악가와 달리 재즈 음악가들은 단순한 리듬이나 화음 몇 개를 약간 변형하여 반복해서 연주할 뿐이다.

문화 산업이 아도르노나 호르크하이머가 지적한 것처럼 예술과 문화를 타락시키는 방향으로 몰고 나간 측면이 없는 것은 아니다. 그들의 지적대로 문화 산업에 종속된 예술은 항상 대중의 ⓔ기호를 따라야 하므로 쇤베르크와 같은 실험 정신을 결여할 수밖에 없다. 따라서 이들의 문화 산업 이론이 전혀 설득력이 없다고 할 수는 없다. 문화나 예술이 자본에 종속되다 보면 예술 창작 과정에 순수한 예술적 상상력이 아닌 상업적인 이해관계가 동기로 작용하기 마련이기 때문이다. 실제로 많은 대중 예술이나 문화 상품이 그렇다.

* 쇤베르크 : 오스트리아 태생의 미국 작곡가로 무조 음악(無調音樂), 십이음 기법 등을 도입했으며, 20세기의 대표적인 작곡가의 한 사람으로 꼽힘.

① ⓐ : 사물이나 현상의 모양이나 상태

② ⓑ : 전에 없던 것을 처음으로 생각하여 지어내거나 만들어 냄

③ ⓒ : 어떤 대상을 가리켜 이르는 일

④ ⓓ : 오래되어 굳어진 좋지 않은 버릇

⑤ ⓔ : 어떠한 뜻을 나타내기 위하여 쓰이는 부호, 문자, 표지 따위를 통틀어 이르는 말

 이 글에 쓰인 '기호(嗜好)'의 사전적 의미는 '즐기고 좋아함.'이다. '어떠한 뜻을 나타내기 위하여 쓰이는 부호, 문자, 표지 따위를 통틀어 이르는 말.'은 '기호(記號)'의 사전적 의미 이다.

Answer↱ 18.⑤

19 다음 제시된 글의 내용과 일치하는 것은?

사실적인 그림을 그리기 위해서는 우선 우리가 살아가는 현실을 화면에다 똑같이 옮겨 놓아야만 한다. 그런데 화면은 이차원의 평면이다. 원칙적으로 삼차원의 실제 공간을 이차원의 화면 위에 옮겨 놓기는 불가능하다. 현실을 화면에 옮기기 위해서는 어떤 장치가 필요한데, 그 장치가 바로 원근법이다.

원근법은 15세기 무렵부터 사용되기 시작하였다. 그렇다면 15세기 이전의 미술가들은 가까이 있는 것은 크게, 멀리 있는 것은 작게 그리는 방법을 몰랐다는 말인가? 꼭 그렇진 않다. 여기서의 원근법은 누구나 알고 있는 경험적인 원근법을 말하는 것이 아니다. 15세기의 원근법이란 수학적으로 계산된 공간의 재현 법칙이었다. 서기 79년 베수비우스 화산의 폭발로 매몰된 〈신비의 집〉이라는 폼페이의 벽화에서는 그리는 사람이 관찰한 결과를 토대로 앞에 있는 사람보다 뒤쪽에 멀리 있는 사람의 다리를 짧게 그리고 있다. 이는 공간감을 실감나게 표현하기 위해서 단축법을 사용한 결과이다. 단축법이란 깊이를 표현하기 위해서 멀리 있는 사물의 길이를 줄여서 표현하는 기법이다.

르네상스 미술의 최고 발명품인 원근법은 15세기 이탈리아 건축가며 조각가인 브루넬레스키에 의해 만들어졌다. 원근법을 이용하여 그림을 그린 최초의 화가는 마사치오였다. 그의 〈헌금〉이라는 작품을 보고 15세기 이탈리아의 피렌체 시민들은 깜짝 놀랐다. 그림이 너무 사실적으로 표현되었기 때문이다. 이 그림의 배경 공간은 〈신비의 집〉과 같이 밋밋하고 성격 없는 공간에서 수백 미터나 되는 깊이를 느끼게 해주었다. 원근법이 발명되고 나서야 비로소 미술가들은 현실과 똑같은 공간을 화면에 옮겨 놓을 수가 있었던 것이다.

그러나 원근법으로 그림을 그리는 일은 생각만큼 쉬운 일은 아니었다. 뒤러의 〈원근법 연습〉이라는 작품을 보면 르네상스 화가들이 어떻게 원근법을 이용하였으며 과거의 단축법과 어떻게 다른지를 알 수 있다. 화가와 모델 사이에는 격자무늬가 그려진 투명한 창이 있고 화가의 눈 밑에는 카메라의 파인더와 같은 조그만 구멍이 뚫린 기구가 놓여 있다. 화가는 한 눈을 감고 이 기구의 조그만 구멍을 통해 본 격자무늬의 창 너머에 있는 모델을 책상 위에 펼쳐 놓은 모눈종이에 옮겨 그린다. 화가는 그림이 다 끝날 때까지 눈을 움직여서는 안 되었다. 눈을 움직이면 보는 위치가 틀려져 원근법으로 맞지가 않기 때문이다. 르네상스 화가들은 뒤러와 같은 방법으로 현실 공간을 정확하게 화면에다 옮길 수가 있었다. 르네상스 화가들이 정물이나 풍경을 그리려면 어떻게 했을까? 간단하다. 정물을 그리려면 모델을 정물로 바꾸면 되고, 풍경화를 그리고 싶으면 투명한 창을 산이나 평야 쪽으로 바꾸어 놓으면 되었다.

우첼로 같은 화가는 원근법에 너무나 감동한 나머지 밤새도록 원근법을 실험했다고 한다. 그리고 15세기의 유명한 이탈리아의 건축가이며 미학자인 알베르티는 "원근법을 모르면 그림을 그리지도 말라."고 얘기할 정도였다. 실물과 똑같이 그림을 그리려 했던 르네상스 화가들에게 원근법은 무엇보다도 중요한 공간 표현의 수단이었다.

① 브루넬레스키는 단축법을 변형·발전시켜 원근법을 만들어냈다.
② 마사치오의 〈헌금〉은 경험적인 원근법을 이용하여 그려진 최초의 작품이다.
③ 르네상스 시대 이전의 화가들은 현실의 공간을 정확하게 재현할 수 있었다.
④ 르네상스 시대의 화가들은 사실적인 공간 표현을 위해 원근법을 중요시했다.
⑤ 사물의 길이를 줄여서 표현하는 단축법은 15세기부터 사용되기 시작하였다.

 제시문의 마지막 문장에서 르네상스 시대의 화가들이 원근법을 사실적인 공간 표현의 수단으로 여기고 매우 중요시했음을 알 수 있다.
① 제시문을 통해서 파악할 수 있는 정보는 원근법이 브루넬레스키에 의해 만들어졌다는 것이다.
② 15세기의 원근법이란 경험적인 원근법이 아닌 수학적으로 계산된 공간의 재현 법칙이었다.
③ 15세기에 원근법이 발명되고 나서야 비로소 미술가들은 현실과 똑같은 공간을 화면에 옮겨 놓을 수 있게 되었다.
⑤ 단축법은 15세기 이전부터 사용되어 왔다.

Answer ↝ 19.④

20 (개)~(매)의 화제로 적절하지 않은 것은?

(개) 밀은 「자유론」에서 "인간의 삶에서 각자가 최대한 다양하게 자신의 삶을 도모하는 것 이상으로 더 중요한 것은 없다."라고 하면서, '자기 식대로 사는 것'을 자유라고 규정하고 기능론적 차원에서 자유의 소중함을 강조한다. 효용을 증대시키기 위해서는 자유가 필요하다는 것이다. 자유가 온전히 주어져야 각자가 자신의 이익을 최대한 달성할 수 있고, 어느 누구라도 당사자보다 더 본인의 이익을 염려할 수는 없기 때문에 자유는 절대적으로 주어져야 한다고 주장한다.

(내) 그러면서 밀은 동시에 전혀 다른 차원에서 자유의 소중함을 역설한다. 자유는 수단이 아니라 목적 그 자체라는 것이다. 남에게 해를 주지만 않는다면 각자가 원하는 바를 자기 방식대로 추구하는 것을 자유로 본다. 여기에서 밀은 반드시 본인에게 최대한 이익을 줄 것이기 때문에 자유가 보장되어야 한다고는 말하지 않는다. 설령 결과가 좋지 못하다 하더라도 자유는 소중하다는 것이다. 결과와 관계없이 각 개인이 자기가 원하는 대로 자기 삶의 방식대로 살아가는 것이 인간에게는 그 무엇보다 중요하다는 생각이다.

(다) 그런데 밀은 자유 그 자체의 절대적 소중함을 역설하면서도 자유가 통제되어야 마땅할 이런저런 상황에 대해서도 고민했다. 자유란 각자가 자기 방식대로 자신의 개별성을 거리낌 없이 발휘하는 것인가라는 물음에 대해 밀은 그렇지 않다고 생각했다. 사람은 누구나 자신의 고유한 가치관과 감정, 나름의 목적에 따라 살아가야 하지만 그 자유는 일정한 방향 아래 향유되는 것이 바람직하고, 그 틀 속에서 자유를 추구해야 한다고 보았다. 방향이 없는 무원칙한 자유까지도 개별성이라는 이름으로 옹호될 수는 없다는 것이다. 밀이 자유 그 자체의 소중함을 강조하면서 동시에 자유의 조건에 대해 관심을 보이는 이유는 '자유에는 방향이 있어야 한다.'는 믿음 때문이다.

(라) 사람이 어떻게 살아야 하는가 하는 문제에 대해 밀은 분명한 방향을 제시하고 있다. 자유가 소중한 것은 바로 '좋은 삶'을 위해서이다. 밀은 자유 그 자체를 소중히 여기고 있기는 하나, 엄밀히 말하면 방향이나 원칙 없는 자유를 제창하는 것은 아니다. 자유란 '자신이 원하는 바를 하는 것'이고, 여기서 '원한다'는 것은 아무런 방향 없이 '마음대로 하는 것'을 의미하지 않는다. 나무는 자신의 생존을 위해 땅속에서 마음껏 뿌리를 뻗어 나갈 자유를 요구한다. 인간도 자신의 '생명 원리'가 지시하는 바대로 살아야 하는데, 밀은 '자기 발전'이라고 하는 목적론적 가치가 인간의 생명 원리를 구성한다고 역설한다. 결국 자기 발전이라는 좋은 삶을 추구하기 위한 방향의 틀 안에서 자유를 마음껏 구가해야 한다는 것이다.

(마) 그의 다른 저서 「공리주의」에서 밀은 '완전한 자유'와 '고매한 덕'은 같은 것이라고 말한다. 현명한 사람이라면 당연히 물리적이고 육체적인 '저급 쾌락' 보다는 정신적이고 고차원적인 '고급 쾌락'을 선택할 것이므로 올바르게 선택하는 사람이 진실로 현명한 사람이고, 덕이 있고 현명한 사람은 올바르게 선택할 것이기 때문에 이런 사람이 진정 자유롭다는 것이다. 가치에는 객관적인 서열이 매겨져 있으며 이성의 지시에 의해 움직이는 자유만을 참된 자유로 간주해야 한다고 본다. 웬만한 상식과 경험을 지닌 사람이라면 올바른 선택을 할 것이고, 선택이 올바르다면 다시 말해 인간에게 주어진 객관적 가치를 본인의 성정과 포부에 걸맞게 추구한다면, 그 결과는 좋을 수밖에 없다는 것이다. 방향을 전제한 자유, 이것이 밀의 생각이다.

① (가) : 목적론적 차원에서의 자유의 중요성
② (나) : 수단이 아닌 목적으로서의 자유
③ (다) : 자유의 추구와 관련한 자유의 조건
④ (라) : 자유의 올바른 방향
⑤ (마) : 이성과 참된 자유의 관계

① (가)에서 '기능론적 차원에서 자유의 소중함을 강조한다.'라고 했으므로 '기능론적 차원에서의 자유의 중요성'이 화제로 적절하다.
② (나)에서 밀은 '자유는 수단이 아니라 목적 그 자체라는 것'을 역설했다고 하였으므로 적절하다.
③ (다)에서 자유의 추구는 일정한 방향 아래 향유되는 것이 바람직하다고 하였으므로 '자유의 추구와 관련한 자유의 조건'을 화제로 볼 수 있다.
④ (라)에서 '자기 발전이라는 좋은 삶을 추구하기 위한 방향의 틀 안에서 자유를 마음껏 구가해야 한다는 것이다.'라고 했으므로 적절하다.
⑤ (마)에서 '이성의 지시에 의해 움직이는 자유만을 참된 자유로 간주해야 한다고 본다.'라고 했으므로 적절하다.

Answer 20.①

21 〈보기〉 중 제시된 글에 이어질 내용으로 옳지 않은 것은?

> 20세기 후반부터 급격히 보급된 인터넷 기술 덕택에 가히 혁명이라 할 만한 새로운 독서 방식이 등장했다. 검색형 독서라고 불리는 이 방식은, 하이퍼텍스트 문서나 전자책의 등장으로 책의 개념이 바뀌고 정보의 저장과 검색이 놀라우리만치 쉬워진 환경에서 가능해졌다. 독서가 거대한 정보의 바다에서 길을 잃지 않고 항해하는 것에 비유될 정도로 정보 처리적 읽기나 비판적 읽기가 중요하게 되었다. 그렇다면 과거에는 어떠했을까?

> 〈보기〉
>
> (가) 새로운 독서 방식으로 다독이 등장했다. 금속 활자와 인쇄술의 보급으로 책 생산이 이전의 3~4배로 증가하면서 다양한 장르의 책들이 출판되었다.
>
> (나) 독자는 필요한 부분만 골라 읽을 수 있을 뿐 아니라 읽고 있는 텍스트의 일부를 잘라 내거나 읽던 텍스트에 다른 텍스트를 추가할 수 있게 되었다. 독자가 사용자로서 기능하기 시작한 것이다.
>
> (다) 초기의 독서는 소리 내어 읽는 음독 중심이었다. 고대 그리스인들은 쓰인 글이 완전해지려면 소리 내어 읽는 행위가 필요하다고 생각했다.
>
> (라) 흡사 종교 의식을 치르듯 성서나 경전을 진지하게 암송하는 낭독이나, 필자나 전문 낭독가가 낭독하는 것을 들음으로써 간접적으로 책을 읽는 낭독-듣기가 보편적이었다.
>
> (마) 독서 역사에 큰 변화가 일어나는데, 그것은 유럽 수도원의 필경사들 사이에서 시작된, 소리를 내지 않고 읽는 묵독의 발명이었다. 공동생활에서 소리를 최대한 낮춰 읽는 것이 불가피했던 것이다.

① (가)　　　　　　　　　② (나)

③ (다)　　　　　　　　　④ (라)

⑤ (마)

Tip　② 주어진 글에 이어지는 내용은 과거의 독서방식에 대한 설명이어야 한다. (나)는 과거의 독서방식이 아니라 사용자로서 기능하는 현대의 독자에 대하여 설명하고 있다.

22 다음 글의 서술 방식에 대한 설명으로 옳지 않은 것은?

> 글로벌 광고란 특정 국가의 제품이나 서비스의 광고주가 자국 외의 외국에 거주하는 소비자들을 대상으로 하는 광고를 말한다. 브랜드의 국적이 갈수록 무의미해지고 문화권에 따라 차이가 나는 상황에서, 소비자의 문화적 차이는 글로벌 소비자 행동에 막대한 영향을 미친다고 할 수 있다. 또한 점차 지구촌 시대가 열리면서 글로벌 광고의 중요성은 더 커지고 있다. 비교문화연구자 드 무이는 "글로벌한 제품은 있을 수 있지만 완벽히 글로벌한 인간은 있을 수 없다"고 말하기도 했다. 오랫동안 글로벌 광고 전문가들은 광고에서 감성 소구 방법이 이성 소구에 비해 세계인에게 보편적으로 받아들여진다고 생각해 왔지만 특정 문화권의 감정을 다른 문화권에 적용하면 동일한 효과를 얻기 어렵다는 사실이 속속 밝혀지고 있다. 일찍이 홉스테드는 문화권에 따른 문화적 가치관의 다섯 가지 차원을 제시했는데 권력 거리, 개인주의-집단주의, 남성성-여성성, 불확실성의 회피, 장기지향성이 그것이다. 그리고 이 다섯 가지 차원은 국가 간 비교 문화의 맥락에서 글로벌 광고 전략을 전개할 때 반드시 고려해야 하는 기본 전제가 된다.
>
> 그렇다면 글로벌 광고의 표현 기법에는 어떤 것들이 있을까? 글로벌 광고의 보편적 표현 기법은 크게 공개 기법, 진열 기법, 연상전이 기법, 수업 기법, 드라마 기법, 오락 기법, 상상 기법, 특수효과 기법 등 여덟 가지로 나눌 수 있다.

① 용어의 정의를 통해 논지에 대한 독자의 이해를 돕고 있다.
② 기존의 주장을 반박하는 방식으로 논지를 펼치고 있다.
③ 의문문을 사용함으로써 독자들로 하여금 호기심을 유발시키고 있다.
④ 전문가의 말을 인용함으로써 글의 신뢰성을 높이고 있다.
⑤ 예시와 열거 등의 설명 방법을 구사하여 주장의 설득력을 높이고 있다.

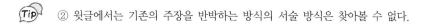

② 윗글에서는 기존의 주장을 반박하는 방식의 서술 방식은 찾아볼 수 없다.

23 ㉠에 대한 설명으로 적절한 것은?

유전자를 연구하려면 원하는 특정 유전자의 DNA를 골라낼 수 있어야 한다. 생물에서 DNA 합성은 세포가 분열할 때 일어난다. 염색체는 세포가 분열하기 전에 두 배로 늘어나는데, 이는 염색체 구성 물질인 DNA도 두 배로 늘어났다는 것을 의미한다. 그러나 필요로 하는 작은 DNA를 수많은 DNA에서 분리해 내는 것은 어려운 일이다. 멀리스는 반대로 전체 유전체 중에서 원하는 DNA 부분만을 증폭하여 그 숫자를 크게 늘리는 아이디어를 생각해 냈다.

멀리스는 증폭하고 싶은 DNA 염기 서열의 앞부분과 뒷부분에 시발체*를 결합시키면 원하는 DNA를 많이 복제할 수 있을 것이라고 생각했다. 이 과정은 다음과 같다. DNA를 복제할 때는 먼저 DNA의 이중 나선 구조에 95℃ 이상의 열을 가해 한 줄로 풀어 주고 온도를 50 ~ 60℃로 낮춘 후 시발체를 넣는다. 시발체는 DNA 단일 가닥에서 복제하고 싶은 염기 서열에 결합한다. 즉 DNA에 시발체를 넣은 후 온도를 낮춰 주면 DNA 한 가닥과 시발체가 붙게 되는 것이다. 다시 온도를 72℃ 정도까지 높여 여기에 ㉠DNA 중합 효소를 넣으면 시발체에 DNA 조각이 붙어 이중 나선 DNA가 만들어진다. 이 과정을 반복하면 DNA는 제곱수로 복제된다. 이것이 멀리스가 고안한 PCR(Polymerase Chain Reaction, 중합 효소 연쇄 반응)이다.

그러나 이 방법에는 해결하기 어려운 문제가 남아 있었다. 멀리스가 고안한 방법으로 DNA를 복제하려면 실험 시 반응 온도를 90℃ 이상으로 올려야 하는데, 이 온도에서는 DNA 중합 효소가 제 역할을 하지 못한다는 사실이다. 또한 온도가 낮아지면 분리된 DNA가 다시 결합하는 문제도 발생한다. 이 문제를 해결한 사람은 일본인 미생물학자 사이키이다. 그는 온천물에서도 생존하는 세균이 있다는 사실에 주목했다. 이 세균에 DNA 중합 효소가 있다면 멀리스가 고안한 PCR의 문제점을 해결할 수 있기 때문이다.

사이키는 온천에 사는 세균의 단백질 중에서 DNA를 합성하는 단백질을 분리해 냈다. 높은 온도에서도 기능을 잘 발휘하는 DNA 중합 효소를 찾은 것이다. 그것은 Taq DNA 중합 효소로 온천에서 살고 있다는 뜻으로 테르무스 아쿠아티쿠스(Thermus aquaticus)라 명명되었다. 멀리스가 고안한 PCR에 Taq DNA 중합 효소를 쓰자 끓는 물에서 아무 문제 없이 DNA를 합성할 수 있었다. DNA 중합 효소가 높은 온도에서도 파괴되지 않으니 활성 상태를 지속하기 위해 계속 넣어 주지 않아도 되고, 두 가닥으로 분리된 DNA가 다시 붙어 버리는 문제도 해결되었다.

이 연구 결과는 곧 세계에 알려졌다. 사이키가 분리한 Taq DNA 중합 효소는 특허 취득 후 판매를 시작하자마자 날개 돋친 듯이 팔려 나갔다. DNA를 대상으로 하는 연구를 하고자 하는 수많은 연구실에서 이 방법을 쓰기 시작했다.

* 시발체 : 고분자 물질의 합성 반응 등에서 반응 개시 계기를 만들고 반응을 촉진하는 물질

① DNA 합성에 독자적으로 작용한다.

② DNA 이중 가닥에 결합하면 활성화된다.

③ 시발체와 결합하면 불규칙적으로 작용한다.

④ 시발체가 DNA에 선택적으로 결합하도록 유도한다.

⑤ 일반적으로 주변의 온도에 따라 활성 상태가 변한다.

 ⑤ 3문단을 보면, DNA 중합 효소는 고온에서 제 역할을 하지 못한다고 제시되어 있으므로 DNA 중합 효소는 주변의 온도에 따라 활성 상태가 변한다고 할 수 있다. 이러한 이유 때문에 사이키는 온천에서도 생존하는 세균에서 Taq DNA 중합 효소를 발견하였다.

24 다음 글을 읽고 알 수 있는 사실로 옳지 않은 것은?

반의관계는 서로 반대되거나 대립되는 의미를 가진 단어 사이의 의미 관계이다. 반의 관계는 두 단어가 여러 공통 의미 요소를 가지고 있으면서 다만 하나의 의미 요소가 다를 때 성립한다. 가령 '총각'의 반의어가 '처녀'인 것은 두 단어가 여러 공통 의미 요소를 가지고 있으면서 '성별'이라고 하는 하나의 의미 요소가 다르기 때문이다. 반의어는 반의관계의 성격에 따라 분류할 수 있다. 즉 반의어에는 '금속', '비금속'과 같이 한 영역 안에서 상호 배타적 대립관계에 있는 상보(모순) 반의어, '길다', '짧다'와 같이 두 단어 사이에 등급성이 있어서 중간 단계가 있는 등급(정도) 반의어, '형', '아우'와 '출발선', '결승선' 등과 같이 두 단어가 상대적 관계를 형성하고 있으면서 의미상 대칭을 이루고 있는 방향(대칭) 반의어가 있다.

① '앞'과 '뒤'는 등급 반의어가 아니다.

② '삶'과 '죽음'은 방향 반의어가 아니다.

③ 상보 반의어에는 '액체'와 '기체'가 있다.

④ 등급 반의어에는 '크다'와 '작다'가 있다.

⑤ 방향 반의어에는 '오른쪽'과 '왼쪽'이 있다.

 ③ 액체와 기체는 물질의 상태라는 한 영역 안에 있지만 물질의 상태에는 액체와 기체 외에도 고체 등이 존재하므로 상호 배타적이지 않다.

① 앞과 뒤는 방향 반의어이다.

② 삶과 죽음은 상보 반의어이다.

④ '크다'와 '작다'는 등급 반의어이다.

⑤ '오른쪽'과 '왼쪽'은 방향 반의어이다.

Answer☞ 23.⑤ 24.③

25 (가)와 (나)의 관계를 바르게 설명한 것은?

(가) 사회적인 규범, 관습, 법률 등은 인간들이 사회를 구성하고 살아오면서 축적한 경험과 지혜를 비교·검토함으로써 그 사회를 유지, 존속시키는 데 필요하다고 판단되는 여러 가지 가치와 행동 양식들을 추출하여 일반화하고 객관화해 놓은 것이다. 이처럼 객관화되고 일반화된 가치들은 인간의 삶을 외적으로나 내적으로 규제하고 통제하는 객관적 지표이자 원리가 된다. 따라서 이것들은 단순히 인간의 삶을 억압하고 구속하는 것이 아니라 인간의 사회적 삶을 가능하게 해주는 객관적인 근거가 된다.

그러나 이런 사회제도가 인간의 다양한 사회적 삶의 양태를 모두 포괄한 것이라고 하기는 어렵다. 왜냐하면 인간의 구체적인 삶은, 그것을 뒷받침하고 있는 제반 환경과 조건, 그리고 인간들 사이의 사회적 관계가 변화됨에 따라 끊임없이 변화되는 것이기 때문이다. 그러므로 만일 이러한 객관적이고 일반적인 지표와 원리들만이 강조될 경우, 개별적인 인간의 삶은 일반화된 가치들의 체계에 의해 억압당하거나 구속되기 십상이다. 그러나 이와는 반대로 우리들에게 주어진 일반적인 가치 체계들을 모두 거부하고 개별적인 인간의 삶만을 강조할 경우 인간들의 사회적 삶은 그야말로 무정부 상태에 빠지고 말 것이다. 그런 의미에서 양자는 서로 대립하면서도 서로 부정될 수 없는, 문자 그대로 모순적인 성격을 지닌다.

따라서 이미 객관화된 것으로서 존재하는 제도와 개별 인간의 삶은 항상 일정한 긴장과 모순을 유지하면서 변화하고 발전되어 간다. 그리하여 시간이 경과하고 기존의 제도와 관습이 더 이상 일상적인 수준에서 이루어지는 개별적 삶의 변화된 내용을 효과적으로 담아 내지 못하게 되면 그 제도와 관습 자체가 서서히 변화될 수밖에 없다. 인간이 오늘날 고도로 발전된 사회 생활을 유지할 수 있게 된 것은 결국 이러한 점진적인 변화의 결과라 할 수 있다. 말하자면 그것은 제도화되고 객관화된 지표와 개별적인 삶 사이의 끊임없는 갈등과 긴장, 그리고 그것을 해소하고 극복하려는 인간 자신의 주체적인 노력을 통해서 이루어진 것이라고 할 수 있다. 그런 의미에서 이러한 긴장과 모순을 객관적인 사실로 인정하고 받아들이는 것은 인간 사회의 합리적인 변화와 발전을 위한 기본적인 전제라고도 할 수 있다.

(나) 이처럼 사회적 존재로서의 인간과 개별적 존재로서의 인간 사이에 존재하는 모순과 긴장된 구조는 인간의 사유에 그대로 반영된다. 곧 우리의 사유는 한편으로는 끊임없이 변화하고 발전하는 구체적이고 개별적인 삶을 향해 열려 있지만, 다른 한편으로는 개별적인 삶의 양상들을 비교·검토하여 그것들을 공유하고 있는 어떤 공통된 특질을 찾아 내 이를 일반화하려는 경향을 갖고 있기도 한 것이다. 앞의 경향은 우리들로 하여금 아주 확실하고 구체적인 삶의 세계로 인도하지만, 근본적으로는 개별적인 사실의 차원을 넘어설 수 없게 만든다. 이에 비해 뒤의 경향은 우리들로 하여금 개별적인 삶과 사물을 좀 더 폭넓고 깊게 이해할 수 있도록 만들어 준다. 또 그것은 우리에게 개별적인 사실을 폭넓은 연관 속에서 평가하고 판단할 수 있는 근거를 제공해 주기도 한다. 그러나 이처럼 일반성과 보편성을 추구하는 사유의 경향이 개별적인 삶의 모든 측면을 다 포괄하기는 어렵다.

그런 점에서 본다면 우리의 사유 구조도 삶의 구조와 마찬가지로 일반성과 보편성을 지향하는 사유와 개별적이고 구체적인 것을 지향하는 사유 사이의 역동적 긴장 속에서 발전되어 가는 것이라 할 수 있다. 곧 어떤 일반적이고 보편적인 원리를 앞세워 개별적인 삶의 사실들을 그 속에 담아내려는 정신적 경향과 개별적인 차원에서 이루어지는 삶의 다양한 양상에 순간순간 대응해 가려는 정신적 경향 사이에는 항상 일정한 긴장과 모순이 존재할 수밖에 없고, 그 모순은 우리의 사유가 지속적으로 발전하는 것을 가능하게 해 준다는 것이다.

① (가)에서 구체적인 예를 제시하고 (나)에서 이를 일반화하여 설명하였다.
② (가)에서 일반적인 원리를 설명하고 (나)에서 구체적인 현상에 적용하였다.
③ (가)에서는 사회적 관점에서 설명하고 (나)에서는 개인적인 관점에서 설명하였다.
④ (가)에서는 사회 현상을 설명하고 (나)에서는 인간의 사유 방식을 설명하였다.
⑤ (가)에서는 다른 사람의 견해를 소개하고 (나)에서는 자신의 입장을 밝혀 설명하였다.

 (가)에서는 일반적 가치와 개별적 삶의 관계를 밝혀 놓았고, (나)에서는 일반성을 추구하는 사유와 개별적인 것을 추구하는 사유의 관계를 설명하였다. 그러므로 (가)와 (나)는 대등한 내용이 병렬적으로 나열된 구조라고 할 수 있다.

Answer↱ 25.④

26 다음 글을 통해 볼 때, ㉠의 원인에 해당하지 않는 것은?

최근 통계청이 발표한 가계수지동향을 보면 ㉠빈부 격차가 보통 심각한 문제가 아님을 알 수 있다. 2분기 도시근로자 가구 월 평균 소득은 310만 9,600원으로 전년 동기보다 4.7% 느는데 그쳐, 외환위기 이후 최저 증가율을 기록했다. 요즘 같은 장기적인 불황 속에서 소득이 많이 늘어나지 않는 것은 특별히 이상한 일도 아니다. 문제는 장기 불황이 부자들에게는 별 타격이 되지 않는 반면 저소득층에게는 크고 깊은 문제로 다가간다는 데 있다. 최상위 10% 계층 가구의 소득은 7.8%나 증가하여 넉넉히 쓰고도 흑자 가계를 기록했다. 그러나 최하위 10% 가구의 소득은 0.26% 늘어나 물가 상승률에도 미치지 못했으며 최저생계비 수준에 머물러 50만 원 정도의 가계 적자를 면치 못했다. 이들 최하위소득층은 국가 보호가 필요한 절대빈곤층으로 추락한 것으로 추정된다.

빈부 격차 심화 현상이 발생한 것은 기본적으로 장기적인 불황과 고용 사정의 악화로 인한 저임금 근로자와 영세 자영업자들의 생업 기반이 무너진 탓이다. 또한 고소득층의 소비가 주로 해외에서 이뤄지기 때문에 내수 회복이나 서민 경제에 별 도움이 되지 않는다는 지적도 있다. 넘쳐흐르는 물이 바닥을 고루 적신다고 하는 '적하(積荷)' 효과가 일어나지 않는다는 뜻이다. 개인 파산 신청 건수가 급격히 늘고 있는 사실도 결코 이와 무관하지만은 않다.

이처럼 계층 간 소득 격차가 확대되면 사회 경제적 갈등은 필연적으로 발생하기 마련이고 성장 잠재력을 훼손할 우려도 높다. 정부가 적극적으로 양극화 해소책을 서둘러 마련해야 할 까닭이 여기에 있다. 전문가들은 '남북 분단'과 '동서 분단'에 이어 '빈부 양극화 고착'이라는 제3의 분단을 경고한다. 수출과 내수 간 양극화, 산업 간 양극화, 기업 간 양극화와 함께 소득의 양극화 현상은 단기적으로 경기회복 지연 요인이 되고 장기적으로 자본과 인적 자원 축적을 저해함으로써 경제 성장 잠재력 확충에 부정적인 영향을 미쳐 선진국 진입의 장애 요인으로 작용할 것이기 때문이다.

자본주의 체제에서 모든 계층의 사람이 똑같이 많이 벌고 잘 살 수는 없는 일이다. 선진국은 우리보다 소득 격차가 더 많이 벌어져 있다. 또 어느 정도의 소득 격차는 경쟁을 유발하는 동기 기능을 하는 것도 부인할 수 없다. 그러나 지금과 같은 양극화 현상의 심화 추세를 그대로 방치한 채 자연 치유되도록 기다릴 수만은 없고, 서민 경제가 붕괴 조짐을 보이는데도 넋 놓고 있어서는 안 된다. 그동안 분배와 관련된 몇 개의 단편적인 대책이 나오기는 하였으나, 모두 일시적 처방에 불과한 것이어서 오히려 상황의 악화를 초래한 것은 매우 심각한 일이다.

분배 정책도 성장 없는 한낱 허울에 불과하다. 과거의 실패를 거울 삼아 저소득층의 소득 향상을 통한 근본적인 빈부 격차 개선책을 제시하여 빈자에게도 희망을 불어넣어야 한다. 그렇다고 고소득자와 대기업을 욕하거나 경원해서는 안 된다. 무엇보다 기업 투자와 내수경기를 일으키는 일이 긴요하다. 그래야 일자리가 생기고 서민 소득도 늘어나게 된다. 더불어 세제를 통한 재분배 정책을 추진할 필요가 있다. 세제만큼 유효한 재분배 정책 수단도 없다. 동시에 장기적인 관점에서 각 부문의 양극화 개선을 위해 경제 체질과 구조 개선을 서둘러야 할 것이다.

① 정부의 단편적 분배 정책
② 수출과 내수 간 양극화 현상
③ 고소득층의 해외 소비 현상
④ 장기적인 불황과 고용 사정의 악화
⑤ 저임금 근로자와 영세 자영업자의 생업 기반 붕괴

 ② 수출과 내수 간 양극화 현상은 다양한 양극화 현상과 함께 선진국 진입의 걸림돌로 작용하는 요소이다.

27 글쓴이가 강조한 '신명'의 내용으로 적절하지 않은 것은?

놀이는 일과 상충되는 것이어서 언제나 생산적일 수는 없으며 유한적이고 향락적인 속성이 적지 않게 포함되어 있다. 그러나 놀이는 때로 막힌 숨길을 틔우고 닫힌 것을 열어젖히는 구실을 하여 살맛을 느끼게 해 준다. 이른바 창조적 생명력을 과시하기도 하는 것이다.

그러므로 춤추고 노는 것이 일하는 것보다 더 격심한 육체적 피로를 몰고 왔다고 하더라도, 그것은 과로가 아니라 개인적인 신체 기능의 증대라는 뜻에서나 이웃과 함께 어울렸다는 유대감의 확충 내지 공동체 의식의 나눔이란 뜻에서 힘의 충전이 된다.

춤추는 일 자체로선 삶의 깊이와 뜻을 구하지 못한다 하더라도, 그것이 평화적 삶의 한 양상임에는 틀림없다. 더욱 강조해 본다면, 새로운 삶을 기약하는 마음의 바탕이 되고 삶을 향유하는 방식이 된다. 어떤 의미에서든 춤은 살아가는 방식의 하나이다.

가끔 행락철에 고성방가를 곁들인 파행적인 유락 행각으로 나타나는 부녀자들의 춤은 사회적 지탄의 대상이 되곤 하지만 이 안에는 새로운 차원의 긍정적인 면이 존재한다. 이는 남모르게 은밀하고 밀폐된 공간에서 개인적인 신명을 개발적으로 수렴하는 카바레 춤과는 성격을 달리한다. 앞의 것을 이른바 '마당춤'이라고 한다면 뒤의 것은 '밀실춤'이라고 할 수 있고, 앞의 것을 '열린 신명의 춤'이라고 한다면 뒤의 것은 '닫힌 신명의 춤'이라고 할 수 있다. 이 두 춤의 관계는 생산성과 소비성, 공동체성과 개별성 등의 서로 충돌되는 개념으로도 이야기할 수 있을 것이다. 이런 의미에서 마당춤은 여럿이 더불어 함께 추는 춤, 얽매인 삶 속에서 추는 춤, 진정한 의미에서의 살풀이의 춤이라고 할 수 있다.

우리나라 사람은 부당하게 삶을 저해하는 요소가 침입하였을 때, '살이 끼었다'고 한다. 이러한 '살'을 물리치는 살풀이는 생존의 방식이며 수단이 된다. '살'의 정체가 드러나 그것에 대한 싸움의 정신이 투철할 때, 살풀이는 삶의 자리를 튼튼하게 보장해 준다. 즉, 살풀이는 제대로 살아 있음을 위해 제 나름으로 삶을 사는 생명체의 자기 회복의 과정인 것이다. 이러한 살풀이의 과정이 절정에 오를 때 신인융합(神人融合), 성숙일여(聖俗一如)와 같은 초인적인 능력이 보통 인간에게도 주어지며 이때 놀이와 춤이 베풀어지는 데 이러한 체험이 곧 '신명'이다. 말하자면, 신명이란 굴절되고 억압된 생명력을 한꺼번에 풀어헤쳐 활기를 돋우는 새로운 창조적 체험인 것이다.

세시 풍속 일반에서 보여지는 제액이나 벽사 진경, 농경 예축 등등의 것은 모든 생활에서의 일상적이고 초현실주의적인 살풀이의 한 양상인 동시에 신명 창출의 계기를 만드는 삶의 기술이기도 하다. 축제의 도화선은 이러한 배경 속에서 당겨지고, 그것은 춤과 노래로써 일상적인 것의 반란·초탈을 체험한다. 옥죄인 생명 에너지가 봇물 터지듯 하는 속에서 신명은 생명 해방의 거대한 기운을 지펴내고 이끌고 당기고 풀어낸다. 생명 에너지가 그득하게 충전된 상태, 창조적 에너지가 거칠 것 없이 분출되는 상태, 어디엔가 홀린 듯 기운이 생동하고 출렁이며, 이윽고 살맛나는 상태가 신명나는 때이다.

부당한 세력이 강하면 강할수록, 삶을 압제하는 요인이 강하면 강할수록, 다시 말하여 '살'이 끼면 낄수록, 삶의 응어리가 깊으면 깊을수록 신명은 더욱 자기의 것이 되고, 그것이 공동의 삶일 때 신명은 공동의 것이 된다. 잔치 마당에서의 집단적인 가무로써 행동화되는 놀이판, 그것은 곧 집단적인 생명 회복을 기약하는 집단적인 신명 춤판이다.

① 새로운 창조적 체험으로써 삶의 활기를 북돋워 주는 것
② 삶을 저해하는 요소를 제거하는 과정의 절정에서 느낄 수 있는 것
③ 창조적 에너지가 거침없이 분출되고 기운이 생동하는 중에 느껴지는 것
④ 제대로 된 삶을 유지하려는 생명체의 자기 회복의 과정에서 탄생되는 것
⑤ 제액이나 살을 막아 주는 요소로서 인간의 삶을 평화롭게 유지해 주는 것

 ⑤ 신명 자체가 제액이나 살을 막아 주거나 삶을 평화롭게 유지해 주는 힘을 지니고 있는 것은 아니다.

Answer ✎→ 27.⑤

28 ㉠에서 필자가 인문학을 보는 관점과 가장 유사한 것은?

인문학의 중요성은 대체 어디에 있는가? 흔히들 말하는 것은 도구적 가치이다. 인문학의 도구적 가치는 경쟁에서 승리하기 위한 도구적 가치와 개인과 사회적 발전에 필요한 도구적 가치로 양분할 수 있다.

첫 번째 주장은 대략 다음과 같은 논리로 전개된다. 우리는 모두 잘살기를 원한다. 그러자면 오늘날 전 세계적으로 벌어지고 있는 개인적, 소집단적 그리고 국가적으로 치열한 모든 종류의 경쟁 특히 경제적 경쟁에서 이겨야만 한다. 그러자면 갖가지 기술 특히 과학 기술 개발의 경쟁에서 남들보다 앞서야 하며 이런 경쟁에서 앞서기 위해서는 언제나 창의력이 필요하다.

그러나 과학 기술 개발 자체는 역설적으로 기술적인 문제가 아니라 창의성의 문제이며, 창의성은 논리적 사유의 기계적 결과가 아니라 논리적으로 설명할 수 없는 상상력의 산물이다. 이러한 창의적 상상력은 문학 작품의 이해와 분석을 통해서 가장 효과적으로 훈련할 수 있다. 왜냐하면 문학 작품 자체가 누군가의 풍부한 상상력이 빚어 낸 예술 작품이기 때문이다.

두 번째 주장의 논리는 대략 다음과 같이 요약할 수 있다. 오늘날 세계가 날로 복잡해지고, 지식과 행동과 사유, 그리고 역사와 사회의 분산된 현상을 종합적으로 파악하고 그것을 반성적으로 개혁할 수 있는 거리의 유지가 필요하다. 이러한 지적 기능의 최고의 결정체인 문학적, 역사학적, 철학적 고전들은 그러한 능력을 자극하고, 계발하고, 닦아 가는데 뺄 수 없는 교과서로서 우리가 지적 능력을 키우는 데 필요한 최상의 도구적 가치를 지니고 있다.

㉠ 물론 인문학은 위와 같은 도구적 기능을 할 수 있다. 그러나 그러한 도구적 가치는 우연적이고 피상적인 속성이지 본질적인 것은 아니다. 인문학의 본질적 가치는 그것의 내재적 가치, 즉 그것이 어떤 목적을 위한 수단이 아니라 그 자체가 바로 목적이라는 데 있다. 문학 작품에서 느끼는 감동, 역사 공부를 통해서 경험하는 인류의 일원으로서의 자아의식 그리고 철학을 통해서 배우는 사유의 투명성은 그 자체로서 물질 이상으로 인간의 삶을 풍요롭게 하는 정신적 양식이다.

이런 점에서 인문학적 가치야말로 인간을 이 지구상에서 단순히 또 하나의 동물에 머물러 있지 않고 진정한 인간으로서 존재하도록 만들어 주는 유일한 조건이다. 결론적으로 인문학이 중요한 것은 그것이 추구하는 가치가 곧 인간으로 존재하는 우리 자신의 가치이기 때문이다.

① 개인으로서 입신출세하여 부귀공명을 누리기 위해서 학문을 한다고 하여 잘못이라고 할 수는 없을 것이다. 많은 학비를 내 가며 공부를 하는 것이 모두 지금보다 더 좋은 생활을 하리라는 희망을 가지고 있기에 가능한 것이라고도 하겠다.

② 과학의 목적은 그 실용성에 있다. 우선 당장, 나라의 체면을 위해서도 과학의 필요성을 절실히 느끼게 되었고, 따라서 어느 국가를 막론하고 이에 충당할 경비의 예산을 해마다 놀랄 만큼 늘리고 있다.

③ 동양의 학문이, 왕양명(王陽明)의 지행합일설 같은 것은 말할 것도 없거니와 아무리 이(理)다 기(氣)다 까다로운 이치를 따지는 것같이 보이는 경우에도 결국은 성인이 되어야 한다는 점에서 있어서는 모두 일치한다고 하겠다.

④ 인생 백 년 간에 근심과 괴로움이 쉴 새 없이 찾아 들어 편히 앉아 독서할 시간이란 거의 얼마 안 되는 것이다. 진실로 일찍 스스로 깨달아 노력하지 않고 구차스럽게 살아가다가는 쓸모없는 재주로 끝나고 말 것이니 만년에 가서 궁박한 처지에 놓여 있을 때 누구를 원망할 것인가?

⑤ 독서는 도구적 개념으로서 앎에 대한 욕구 충족에 그치지만은 않는다. 독서를 통해서 사람들은 일상의 직업 생활에서 벗어나 환상의 세계에 잠입하기도 한다. 이런 독서가 바로 지식이나 정보 획득이라는 생활적 수단을 넘어서서 순수한 인간성을 지향하는 '삶의 독서'이다.

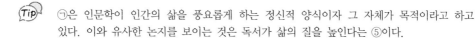 ㉠은 인문학이 인간의 삶을 풍요롭게 하는 정신적 양식이자 그 자체가 목적이라고 하고 있다. 이와 유사한 논지를 보이는 것은 독서가 삶의 질을 높인다는 ⑤이다.

01. 언어이해 » 111

29 다음 글에서 민주주의의 발전을 위한 조건으로 제시하지 않은 것은?

　　현대 사회를 정보화 사회로 지칭하는 것은 매일 새롭게 발전하고 있는 정보 통신 기술 그 자체에 대한 관심뿐 아니라, 그 기술이 현재와 미래의 우리 삶에 초래할 변화상에 주안점을 두고 있기 때문이다. 즉, 정보 통신 기술의 급격한 발전으로 편리하고 윤택하며, 신속하게 진행되는 삶의 모습이 인간다운 행복한 삶의 실현을 가능하게 하는가에 대한 질문이 정보화 사회에 대한 논의의 핵심이다. 이를 민주주의와 연결해 보면 다음과 같은 의미가 있다.

　　민주주의는 인류의 역사를 거치면서 가장 바람직한 공동 생활의 모습과 운영의 원리로 자리잡아 왔다. 그러나 그 이상을 실현하는 데 있어서 민주주의는 대중 사회로의 변화에 현실적으로 적응해야 했고, 이러한 필요에 의해 발전되어 온 것이 오늘날의 대의제 민주주의다.

　　그런데 대의제 민주주의는 그 현실적 필연성에도 불구하고 주인으로서의 국민을 정치적 의사 결정 과정으로부터 소외시키고, 그 결과 국민들이 정치적 현상 혹은 공적인 문제에 대해 무관심하게 되는 부정적 결과를 초래하기도 한다. 현대 사회의 대의제 민주주의에서 나타나는 이러한 부정적인 면을 정보 통신 기술의 발달을 통해 개선하려는 노력이 바로 전자 민주주의다. 즉, 전자 민주주의는 국민이 나라의 주인으로서 좀 더 적극적으로 정책 과정에 의견을 반영하고 참여하는 것을 강조함으로써 주권재민의 민주주의 이상을 실현하고자 한다. 이러한 전자 민주주의에 대한 논의는 대체로 두 가지 시각으로 대별되는데, 이 둘은 각각 기술 발달에 대한 상반된 견해에 기초하고 있다.

　　첫째 시각은 기술 발달의 결과에 대해 긍정적으로 바라보는 데서 출발한다. 새로운 정보 통신 기술들은 정치 교육과 결사의 새로운 형태를 가능하게 함으로써 시민들이 직접 정책 결정권을 행사하는 참여 민주주의의 확립에 기여하게 될 것이라고 본다. 이들은 개인과 집단이 그들 스스로의 문제를 결정해야 한다는 민주주의의 이상에 기반하여 과학 기술의 발달이 현대 사회에서의 시간과 공간의 제약으로 생기는 간접 민주주의의 문제를 극복할 수 있다고 본다. 따라서 첨단 정보 통신 기술을 이용함으로써 모든 시민이 정치 과정에 직접 참여할 수 있는 방법들을 모색하는 데 비중을 두고 있다.

　　둘째 시각은 기술 발달에 대한 비판적 논의에 기초한다. 첨단 기술의 발달로 야기되는 사회 변혁은 정치에 새로운 문제를 수반하게 한다는 것이다. 더 나아가 이들은 단순한 참여의 증가를 민주주의 이상의 실현으로 동일시할 수는 없으며, 정보 통신 기술을 이용한 참여 또한 손쉽게 조작되거나 오용될 가능성이 상존한다고 본다. 따라서 이들은 정치적 이익 간의 충돌을 완화하고, 소수의 권리와 같은 문제들을 해결하는 것은 기술적인 접근만으로는 불가능하다고 주장한다.

이러한 상반된 시각에도 불구하고 우리는 양자 모두에서 전자 민주주의의 핵심 논의를 발견하게 된다. 오늘날 사회 구성과 운영 원리로서의 민주주의에서 가장 문제가 되는 것은 바로 참여의 문제다. 즉, 올바른 민주주의가 실현되기 위한 가장 중요한 전제 조건은 그것이 기술적 발전의 도움을 받든 그렇지 않든 공정하고 왜곡되지 않은 시민의 참여를 어떻게 증진시키느냐의 문제에 있다. 시민의 정치적 과정과 결정에의 참여는 곧 주권재민이라는 민주주의 이상의 실현뿐만 아니라 그 결과에 대한 책임을 공유한다는 점에서도 공동 생활에서 매우 중요한 의미가 있다. 바로 이것이 전자 민주주의 논의의 핵심이다.

① 적극적인 정치 참여 의식
② 자신이 사회의 주인이라는 의식
③ 사회 현상이나 공적인 문제에 대한 관심
④ 스스로 문제를 해결하려는 능동적인 의식
⑤ 상대방의 입장을 이해하고 배려하려는 의식

 ⑤ 일반적인 민주주의 발전의 조건이기는 하지만 이 글에서 제시된 조건이라고는 볼 수 없다.

30 다음 글에서 다룬 내용이 아닌 것은?

고대 그리스의 시작에서부터 전통적 서양의 정치 사상은 정치적인 것의 본질을, 유식하고 명령하는 자와 무식하고 복종하는 자 사이의 사회적 분업으로 파악하고 사회성의 본질을 정치적인 것으로 보았다. 다시 말하자면 헤라클레이토스, 플라톤, 아리스토텔레스에게 사회란 왕, 즉 국가의 보호 아래에서만 존재 가능한 것이었고, 명령하는 자와 복종하는 자 사이의 사회적 분업이 부재한 사회는 상상할 수도 없는 것이었다. 또한 권력 행사가 결여된 곳은 비(非)사회로 간주했다. 유럽인들이 16세기 초에 남아메리카 인디언들을 바라보는 관점도 이와 같았다. 그들은 인디언들은 정치를 행하지 않으며 인디언들의 사회는 신앙도 법도 왕도 없는 야만인들의 사회로 보았다.

실제로 원시 사회는 족장이라는 우두머리는 있어도 족장의 권력은 없다. 어떻게 이것이 가능할까? 기본적으로 원시 지도자는 자신이 속한 사회가 다른 공동체들과 관계 맺을 때, 자신이 속한 사회의 이름으로 발언하는 자이다. 모든 원시 공동체에서 그러하듯이 다른 공동체들은 친구와 적이라는 두 부류로 나뉜다. 친구들과는 동맹의 관계를 잘 유지해야 하고, 적들에게는 방어나 공격을 효과적으로 수행해야 한다. 즉 우두머리의 구체적 기능이란 비유컨대 국제적 영역에서 수행되는 공동체의 안정을 보장하기 위해 동맹을 강화하는 외교적 자질로서의 능숙성과, 적의 공격을 효과적으로 방어하고 출병 시에 승리를 거둘 수 있는 군사적 자질로서의 용기를 발휘하는 것이다. 이때 우두머리가 발전시키는 동맹 전략이나 군사 전술은 결코 그 자신의 것이 아니라 늘 부족의 욕망이나 명시적 의지에 부합하는 것이어야 한다.

그렇다면 집단 자체 내에서 행하는 우두머리의 기능은 무엇일까? 공동체는 다른 공동체들과 맞서 자신의 통일성을 드러낼 필요가 있을 때에만 우두머리를 지도자로 인정한다. 이때에는 사회에 대해 우두머리가 행하는 봉사에 관해서는 최소한의 신뢰를 가지고 그를 인정하는데, 이를 우두머리의 위세라고 한다. 자기 사회 속에서 우두머리의 의견은 그가 향유하는 위세에 힘입어 경우에 따라 다른 사람들의 의견보다 더 중시될 수도 있다. 하지만 우두머리의 관점은 단지 그것이 '하나의 전체'로서 그 사회의 관점을 표현해 주는 한에서만 용인된다. 따라서 우두머리는 아무도 복종시킬 수 없다. 심지어 두 사람이나 두 가족 사이의 분쟁을 중재할 권한조차 없다.

이는 원시 사회에서 우두머리는 권력의 표면적 장소, 가정된 장소일 뿐이고, 권력의 실재 장소는 사회 자체에 있다는 것을 뜻한다. 사회 자체는 권력을 소유하고 또 분리되지 않은 통일체로서 권력을 행사한다. 즉 사회 자체는 사회로부터 권력이 분리되지 않은 상태로 유지시키는 것, 사람들 사이의 불평등으로 인해 사회 내에 분할이 발생하는 것을 막는 데에 진력한다. 그래서 이 권력은, 사회를 권력으로부터 소외시키고 사회에 불평등을 도입할 수 있는 모든 것에 대항해 행사된다. 특히 이 권력은 위세에 대한 우두머리의 애호가 권력에 대한 욕망으로 발전하지 않도록 철저히 감시한다. 혹 그러한 조짐이 뚜렷이 드러난다고 판단될 때에 취해지는 조치는 매우 간단하다. 그를 제거하거나 축출하는 것이다. 분할이라는 유령이 원시 사회에 출현하지만 원시 사회는 그 유령을 축출할 수단을 지니고 있는 것이다. 이는 원시 사회가, 국가가 아예 생성되지 못하도록 철저히 봉쇄하는 시스템을 가동하고 있다는 것을 뜻한다.

① 원시 사회에서 권력을 행사하는 주체
② 원시 사회가 사회적 분할을 막는 방법
③ 원시 사회에서 우두머리의 대내외적 역할
④ 원시 사회에서 우두머리를 선출하는 과정
⑤ 원시 사회에 대한 전통적 서양 정치사상가들의 관점

Tip   ④ 이 글에서는 원시 사회의 우두머리의 개념과 자질 등을 언급하고 있으나, '우두머리를 선출하는 과정'에 대해서는 언급하고 있지 않다.

02 언어추리

LG그룹 채용 홈페이지에서 공개한 예시문항입니다.

Q 연필, 지우개, 볼펜, 색연필, 필통 등 다섯 가지 상품만을 파는 문구점이 있다. 가게 주인은 다음과 같은 네 가지 조건을 내걸고 이를 지키는 손님에게만 상품을 팔았는데, 한 학생이 이조건을 지키고 학용품을 구입해서 갔다. 이 학생이 구입한 상품은 무엇인지 고르시오.

> (가) 색연필과 필통 중 한 가지를 반드시 사야 한다.
> (나) 지우개와 볼펜 중에서는 한 가지밖에 살 수 없다.
> (다) 볼펜과 색연필을 사려면 둘 다 사야 한다.
> (라) 필통을 사려면 연필과 색연필도 반드시 사야 한다.

① 색연필, 필통
② 지우개, 볼펜
③ 볼펜, 색연필
④ 연필, 볼펜, 필통
⑤ 연필, 지우개, 필통

 (가)에 따라 (색연필)이나 (필통) 중 한 가지는 반드시 포함되어야 하며, (다)에 따라 (볼펜, 색연필)은 함께 구매해야 한다. 또한 (라)에 따라 필통을 사려면 (필통, 연필, 색연필)을 함께 구매해야 한다.
②는 (나)에 따라 정답이 될 수 없으며, ①④⑤는 (라)에 따라 정답이 될 수 없다. 따라서 정답은 ③이다.

 답 ③

1 다음 제시된 예와 언어의 오류 연결이 바르지 못한 것은?

① 하나를 보면 열을 안다고, 너 지금 행동하는 걸 보니 형편없는 애구나. – 성급한 일반화의 오류

② 너희들 왜 먹을 것 갖고 싸우니? 빨리 방에 들어가서 공부나 해! – 논점 일탈의 오류

③ 일찍 자야 착한 어린이지. – 원천봉쇄의 오류

④ 흡연이 암을 유발한다는 사실을 증명할 직접적인 근거는 아직 없으니, 흡연은 암을 유발하지 않는게 맞아. – 잘못된 유추의 오류

⑤ 까마귀 날자 배떨어진다. – 거짓원인의 오류

Tip ④ 무지에의 호소에 해당한다. 증명할 수 없거나 알 수 없음을 들어 참 또는 거짓이라고 추론하는 오류를 뜻한다.

2 다섯 명의 학생 A, B, C, D, E가 함께 50m 달리기 시합을 한 후에 그 결과에 대하여 다음과 같이 각각 두 가지씩 진술하였다. 다섯 명의 학생 각각의 두 가지 진술 중에서 하나의 진술이 참이고 다른 하나의 진술은 거짓이라고 할 때, 이 달리기 시합에서 3위를 한 학생은? (단, 다섯 명의 학생의 순위는 모두 다르다)

> A : 나는 3위이고, D는 2위이다.
> B : 나는 2위이고, C는 3위이다.
> C : 나는 1위이고, B는 4위이다.
> D : 나는 3위이고, E는 5위이다.
> E : 나는 4위이고, A는 1위이다.

① A   ② B
③ C   ④ D
⑤ E

Answer 1.④ 2.③

㉠ A의 진술에서 A가 3위라는 말이 참이면, D가 2위라는 말은 거짓이다.

A는 3위이므로 B와 D의 진술에서 C, D가 3위라는 말은 거짓이다.

따라서 B의 진술에 의해 B는 2위이고, D의 진술에 의해 E는 5위이다.

그러나 이는 E의 진술과 부합하지 않으므로 옳지 않다.

㉡ A의 진술에서 D가 2위라는 말이 참이면, A가 3위라는 말은 거짓이다.

B의 진술에서 B는 2위가 아니고, C는 3위이다.

C의 진술에서 C는 1위가 아니고, B는 4위이다.

D의 진술에서 D는 3위가 아니고, E는 5위이다.

E의 진술에서 E는 4위가 아니고, A는 1위이다.

그러므로 1위는 A, 2위는 D, 3위는 C, 4위는 B, 5위는 E이다.

3 다음 대화에서 갑이 저지르고 있는 논리적 오류는?

> 갑 : 정치에 발을 들이는 건 좋지 않아.
>
> 을 : 왜 그렇게 생각해?
>
> 갑 : 내가 진실을 말하면 정치인들이 날 미워할 것이고, 내가 거짓을 말하면 유권자들이 날 미워할 테니까.

① 부적합한 권위에 호소하고 있군.

② 자신의 주장을 다시 전제로 이용하는 선결문제의 오류를 범하고 있군.

③ 거짓 딜레마를 전제에서 제시하고 있군.

④ 주장과 관련 없는 이유를 내세우고 있군.

⑤ 인신 공격의 오류를 범하고 있군.

 ③ 거짓 딜레마의 오류는 A 아니면 B라는 두 가지 예시를 제시하는 과정에서 제3의 가능성을 배제하고 가능성이 두 개만 있다고 잘못 판단하여 딜레마로 여겨 발생하는 오류를 말한다.

4 다음 〈조건〉을 통해 a, b에 대해 바르게 설명한 것은?

> a. 목걸이가 없는 사람은 팔찌도 없다.
> b. 귀걸이가 없는 사람은 항상 팔찌는 있고, 반지는 없다.

> 〈조건〉
> ㉠ 목걸이가 있는 사람은 팔찌도 있다.
> ㉡ 팔찌가 없는 사람은 귀걸이가 있다.
> ㉢ 귀걸이가 없는 사람은 반지가 없다.

① a만 항상 옳다.
② b만 항상 옳다.
③ a와 b 모두 옳다.
④ a와 b 모두 그르다.
⑤ a와 b 모두 옳고 그른지 알 수 없다.

 참인 명제의 대우는 항상 참이다.
㉡의 대우는 '귀걸이가 없는 사람은 팔찌가 있다'이다. ㉢과 조합하면 b가 항상 옳은 것을
알 수 있다.

5 다음 제시된 예와 언어의 오류가 바르게 연결된 것은?

① 요즘 이 책이 베스트셀러라는데. 나도 읽어봐야겠다. – 잘못된 인과 관계의 오류
② 그래서 너 외계인 본 적 있니? 없잖아. 그것 봐, 외계인은 없는 거야. – 군중에의 호소
③ 엄마, 이번 시험 진짜 어려웠어요. 제가 이렇게 못 본 것을 보면 모르세요? 다른 애들도 다 못 봤어요. – 무지에의 호소
④ 친구들은 다 노트북 가지고 있어요. 저도 사줘요. – 성급한 일반화의 오류
⑤ 네가 민영이랑 어울리면서 성적이 많이 떨어졌는데, 걔가 문제구나. – 잘못된 인과 관계의 오류

 ① 군중에의 호소
② 무지에의 호소
③ 성급한 일반화의 오류
④ 군중에의 호소

Answer ➟ 3.③ 4.② 5.⑤

6 다음 중 거짓말을 하고 있는 사람은?

> 철수 : 어제 나는 낮에 도서관에서 공부를 했어요.
> 준수 : 어제 나는 종일 집에 있다가 밤에 영희와 도서관 앞에서 만났어요.
> 순이 : 어제 나는 도서관에서 철수와 공부를 하고 먼저 나오는 길에 준수를 봤어요.
> 영희 : 어제 나는 저녁에 철수와 영화를 보고 밤에 준수를 만났어요.

① 철수   ② 준수
③ 순이   ④ 영희
⑤ 알 수 없다.

 철수는 낮에 공부를 했는데, 순이가 먼저 나왔다고 했으므로 순이가 나온 시간은 낮이다. 준수는 밤에 도서관 앞에 있었으므로 순이는 준수를 보지 못했다.

7 다음 주어진 조건이 모두 참일 때 항상 옳은 것은?

> • 비가 오면 우산을 챙긴다.
> • 눈이 오면 도서관에 간다.
> • 내일 강수 확률은 40%이다.
> • 기온이 영하이면 눈이 오고, 영상이면 비가 온다.
> • 내일 기온이 영하일 확률은 80%이다.

① 내일 우산을 챙길 확률은 8%이다.
② 내일 우산을 챙길 확률은 12%이다.
③ 내일 우산을 챙길 확률은 20%이다.
④ 내일 도서관에 갈 확률은 70%이다.
⑤ 내일 도서관에 갈 확률은 80%이다.

 우산을 챙길 확률은 비가 올 확률과 같고 도서관에 갈 확률을 눈이 올 확률과 같다. 내일 기온이 영하이면 눈이 오고, 영상이면 비가 온다. 따라서 내일 우산을 챙길 확률은 $\frac{40}{100} \times \frac{20}{100} = \frac{8}{100}$ 이고 내일 도서관에 갈 확률은 $\frac{40}{100} \times \frac{80}{100} = \frac{32}{100}$ 이다.

8 다음 주어진 조건이 모두 참일 때 항상 옳은 것은?

> - 하하, 재석, 세형, 준하, 명수가 5층 건물의 각 층에 살고 있다.
> - 하하와 재석이네 집 층수 차이는 재석이와 명수네 집 층수 차이와 같다.
> - 세형이는 준하보다 2층 더 높은 집에 산다.

① 준하는 하하 바로 아래층에 산다.

② 하하는 세형이보다 높은 층에 산다.

③ 재석이는 준하보다 높은 층에 산다.

④ 준하는 명수 바로 아래층에 산다.

⑤ 세형이는 재석이보다 낮은 층에 산다.

5층	명수(또는 하하)
4층	세형
3층	재석
2층	준하
1층	하하(또는 명수)

9 다음 주어진 조건이 모두 참일 때 항상 옳은 것은?

> - L사 사원 A, B, C, D, E, F 6명은 2001~2006년에 해마다 한 명씩 입사했다.
> - A는 2003년에 입사했다.
> - C는 E보다 3년 먼저 입사했다.
> - B는 C, E보다 먼저 입사했다.

① F가 2005년에 입사했다면 D는 2006년에 입사했다.

② B가 2002년에 입사했다면 F는 2001년에 입사했다.

③ D는 2006년에 입사했다.

④ D와 F는 연이어 입사했다.

⑤ B는 2001년에 입사했다.

Answer ↱ 6.③ 7.① 8.③ 9.⑤

2001	B
2002	C
2003	A
2004	D(또는 F)
2005	E
2006	F(또는 D)

10 다음 주어진 조건이 모두 참일 때 옳지 않은 것은?

- 어떤 회사 내의 나란히 위치한 6개의 주차구역 1~6에 A, B, C, D, E, F 6명이 각각 한대의 차를 주차하려고 한다.
- 화물차가 주차 가능한 구역은 3곳이다.
- A, B, F는 화물차이고, B는 가장 폭이 넓은 차이다.
- E는 최고 임원이어서 화물차 옆에는 주차하지 않는다.
- 3번 주차구역은 폭이 좁아서 3번 주차구역을 포함한 양 옆은 화물차와 폭이 넓은 차도 주차할 수 없다.
- B와 C는 같은 부서에 소속되어 있어서 이웃한 주차구역에 주차를 해야 한다.
- B는 양 끝의 주차구역에 주차하지 않는다.

① E의 양 옆에는 C나 D가 주차한다.

② C는 화물차가 주차할 수 없는 구역에 주차한다.

③ D는 A와는 이웃한 구역에 주차할 수 있지만 F와는 이웃하게 주차하지 않는다.

④ B와 이웃하게 주차할 수 있는 사람은 C를 제외하면 A와 F밖에 없다.

⑤ E는 3번 주차구역에 주차를 한다.

1	A(또는 F)
2	D
3	E
4	C
5	B
6	F(또는 A)

11 다음 (개와 (내의 상황에서 도둑은 각각 누구인가?

> (개) 도둑 용의자인 A, B, C가 수사과정에서 다음과 같은 진술을 하였다. 그런데 나중에 세 명 중 두 명의 말은 거짓이었고 도둑은 한 명이라는 것이 밝혀졌다.
> • A : 저는 도둑이 아닙니다.
> • B : C는 확실히 도둑질을 하지 않았습니다.
> • C : 제가 바로 도둑입니다.
>
> (내) 도둑 용의자인 甲, 乙, 丙이 수사과정에서 다음과 같은 진술을 하였다. 그런데 나중에 도둑은 한 명이고 그 도둑은 거짓말을 했다는 것이 밝혀졌다.
> • 甲 : 저는 결코 도둑이 아닙니다.
> • 乙 : 甲의 말은 참말입니다.
> • 丙 : 제가 바로 도둑입니다.

① (개) – A, (내) – 甲
② (개) – A, (내) – 乙
③ (개) – B, (내) – 丙
④ (개) – B, (내) – 甲
⑤ (개) – C, (내) – 甲

ⓐ (개) 상황
• A가 도둑인 경우 : A는 거짓, B는 참, C는 거짓이므로 조건에 부합한다.
• B가 도둑인 경우 : A는 참, B는 참, C는 거짓이므로 조건에 부합하지 않는다.
• C가 도둑인 경우 : A는 참, B는 거짓, C는 참이므로 조건에 부합하지 않는다.
ⓑ (내) 상황
• 甲이 도둑인 경우 : 甲은 거짓, 乙은 거짓, 丙은 거짓이므로 조건에 부합한다.
• 乙이 도둑인 경우 : 甲은 참, 乙은 참, 丙은 거짓이므로 조건에 부합하지 않는다.
• 丙이 도둑인 경우 : 甲은 참, 乙은 참, 丙은 참이므로 조건에 부합하지 않는다.
ⓒ 따라서, (개) 상황에서는 A가 도둑이며, (내) 상황에서는 甲이 도둑이다.

Answer 10.③ 11.①

12 A, B, C, D, E, F가 투숙을 하려는 2층 호텔이 있다. 각 층은 1호부터 4호까지, 즉 101호부터 204호까지 방이 있다. 각 호실에는 한 사람만이 투숙할 수 있다고 할 때, 다음 중 항상 참인 것은?

201호	202호	203호	204호
101호	102호	103호	104호

- F의 옆방 중 최소한 하나는 비어 있다.
- B가 투숙한 바로 옆 오른쪽 방에는 D가 투숙했다.
- A는 203호에 투숙한다.
- C와 E는 바로 옆방이 아니다.
- C와 E는 1층에 투숙한다.
- B의 바로 옆방에는 E가 투숙한다.

① C가 투숙한 방은 101호이다.
② B가 투숙한 방은 102호이다.
③ F가 투숙한 방은 201호이다.
④ D가 투숙한 방은 104호이다.
⑤ F가 투숙한 방은 202호이다.

(Tip) 1층은 E – B – D – C의 순서가 된다.
F의 옆방 중 최소한 하나는 비어있어야 하므로 F는 201호 또는 202호에 투숙한다.

201호	202호	203호	204호
F	F	A	
101호	102호	103호	104호
E	B	D	C

13 한 자동차 판매소에서 직원 A, B, C, D 4명의 영업 실적을 영업 매출과 영업 이익으로 나누어 비교한 후 각각의 순위를 아래와 같이 발표하였다. 4명 중 영업 매출 순위가 가장 낮은 사람은 누구인가?

> • A는 C보다 영업 매출 순위가 높다.
> • B는 영업 이익 순위가 가장 낮지만 영업 매출 순위는 가장 높다.
> • C는 영업 이익 순위와 영업 매출 순위가 같다.

① A   ② B

③ C   ④ D

⑤ 알 수 없다.

 ㉠ 영업 매출 순위 경우의 수
• B > A > C > D
• B > A > D > C
• B > D > A > C
㉡ 영업 이익 순위 : B가 4위
C의 영업 이익 순위와 영업 매출 순위가 같은데, B의 영업 이익이 4위이므로, C는 3위가 된다. 따라서 영업 매출 순위는 B > A > C > D만이 성립한다.

14 어느 미팅 자리에서 아래 그림과 같이 1~5번 자리에는 남학생이, 6~10번 자리에는 여학생이 앉았다. 동현이와 가은이의 자리는 어디인가?

〈좌석 배치도〉

남자	1	2	3	4	5
여자	6	7	8	9	10

〈조건〉

• 1번 책상 맞은편 여학생 옆에 앉은 여학생은 지희이다.
• 지희의 자리는 수희와 책상 세 개가 떨어져 있다.
• 예은이는 진수 맞은편에 앉는다.
• 동현이는 예은이 옆에 있는 여학생 맞은편에 앉는다.
• 진수의 자리가 중앙이 아니라면 재석이가 중앙이다.
• 민준이는 동수 옆에 앉는다.
• 동수의 자리는 진수와 책상 세 개가 떨어져 있다.
• 지희의 자리가 중앙이 아니라면 은희가 중앙이다.
• 예은이의 자리는 가은이와 책상 세 개가 떨어져 있다.
• 민준이는 수희 맞은편에 앉는다.
• 진수의 자리는 5번 책상이 아니다.
• 가은이의 자리는 10번 책상이 아니다.

① 동현-4번, 가은-10번
② 동현-2번, 가은-9번
③ 동현-5번, 가은-7번
④ 동현-3번, 가은-6번
⑤ 동현-1번, 가은-8번

남자	1 (진수)	2 (동현)	3 (재석)	4 (동수)	5 (민준)
여자	6 (예은)	7 (지희)	8 (은희)	9 (가은)	10 (수희)

15 은규, 진석, 종혁이가 과녁맞추기 놀이를 하고 있다. 다음 대화를 읽고 각 아이들의 점수를 옳게 연결한 것은? (단, 셋은 한 마디씩 틀리게 말하고 있다)

> • 은규 : 180점이네. 진석이보다 40점이 적게 나왔구나. 종혁이보다는 그래도 20점 많이 나왔다.
> • 진석 : 다행히 가장 작은 점수는 아닌데 종혁이와는 무려 60점이나 차이난다. 종혁이는 240점이구나.
> • 종혁 : 은규보다 점수가 낮잖아. 은규는 200점인데. 진석이는 은규보다 60점이 더 나왔고.

① 은규 – 200점, 진석 – 240점, 종혁 – 180점
② 은규 – 180점, 진석 – 200점, 종혁 – 240점
③ 은규 – 200점, 진석 – 180점, 종혁 – 240점
④ 은규 – 240점, 진석 – 200점, 종혁 – 180점
⑤ 은규 – 180점, 진석 – 240점, 종혁 – 200점

 은규는 "180점이네"라는 말이 틀린 문장이고, 진석이는 "종혁이는 240점이구나"라는 말이 틀린 문장이다. 그리고 종혁이는 "진석이는 은규보다 60점이 더 나왔고."라는 말이 틀린 문장이다. 따라서 각 아이들의 점수를 확인해보면 은규는 200점, 진석이는 240점, 종혁이는 180점이다.

16 다음은 유진이가 학교에 가는 요일에 대한 설명이다. 이들 명제가 모두 참이라고 가정할 때, 유진이가 학교에 가는 요일은?

> • 목요일에 학교에 가면 월요일엔 학교에 가지 않는다.
> • 금요일에 학교에 가면 수요일에 학교에 간다.
> • 화요일에 학교에 가면 수요일에 학교에 가지 않는다.
> • 금요일에 학교에 가지 않으면 월요일에 학교에 간다.
> • 유진이는 화요일에 학교에 가지 않는다.

① 월, 수
② 월, 수, 금
③ 수, 목, 금
④ 수, 금
⑤ 금

 마지막 명제에서 유진이는 화요일에 학교에 가지 않으므로 세 번째 명제의 대우에 의해 수요일은 학교에 간다. → 두 번째 명제에 의해 금요일에 학교에 가고, 네 번째 명제의 대우에 의해 월요일에 학교에 가지 않는다. → 첫 번째 명제에 의해 목요일에 학교에 간다. 따라서 다음과 같다.

월	화	수	목	금
×	×	○	○	○

17 다음 조건이 참이라고 할 때, 반드시 참인 것은?

> • 나이가 같은 사람은 없다.
> • C의 나이는 D의 나이보다 적다.
> • F의 나이는 G의 나이보다 적다.
> • C와 F의 나이 순위는 바로 인접해 있다.
> • B의 나이가 가장 많고, E의 나이가 가장 적다.
> • C의 나이는 A와 F의 나이를 합친 것보다 많다.

① D는 두 번째로 나이가 많다.

② G는 A보다 나이가 적다.

③ C는 G보다 나이가 많다.

④ C는 D보다 나이가 많다.

⑤ A는 F보다 나이가 적다.

 조건에 따르면 B > (G) > D > (G) > C > F > A > E의 순이다.
① 알 수 없다.
② G는 A보다 나이가 많다.
③ C는 G보다 나이가 적다.
④ C는 D보다 나이가 적다.

18 다음 중 결론이 반드시 참이 되게 하는 전제로 알맞은 것은?

〈전제〉
• 어떤 딸기는 단 맛이 나지 않는다.
• _____.

〈결론〉
그러므로 어떤 과일은 단맛이 나지 않는다.

① 딸기는 과일이 아니다.
② 모든 딸기는 과일이다.
③ 어떤 딸기는 과일이다.
④ 모든 딸기는 과일이 아니다.
⑤ 어떤 딸기는 과일이 아니다.

(Tip) ② '어떤 딸기는 단맛이 나지 않는다.'라는 명제는 단맛이 나는 딸기가 적어도 하나는 존재한다는 의미이다. 모든 딸기가 과일이라면, 단맛이 나지 않는 과일이 적어도 하나는 존재하게 된다. 따라서 '모든 딸기는 과일이다.'가 타당한 전제이다.

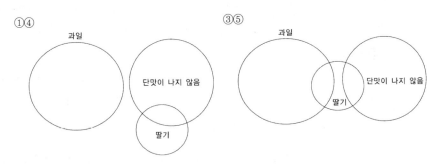

19 운영팀의 A, B, C와 기획팀의 D, E, F가 찬반토론을 하고 있다. 조건이 다음과 같을 때, 반드시 거짓인 것은? (단, 3명은 찬성, 3명은 반대한다.)

> 〈조건〉
> ㉠ D와 E 중 적어도 한 사람은 반대한다.
> ㉡ B가 찬성하면 C는 반대한다.
> ㉢ E와 F의 의견은 언제나 같다.
> ㉣ B가 찬성하면 E와 F도 찬성하고, E와 F가 모두 찬성하면 B도 찬성한다.
> ㉤ D가 찬성하면 A도 찬성하고, D가 반대하면 A도 반대한다.

① C, D 모두 반대이다.　　　　② A, B 모두 찬성이다.

③ A, D 모두 반대이다.　　　　④ B, E 모두 찬성이다.

⑤ A, C는 모두 반대이다.

A	B	C
반대	찬성	반대
D	E	F
반대	찬성	찬성

20 A, B, C, D 네 학생은 모두 축구, 배구, 농구, 야구동아리 4개 중 2개에 가입하고 있다. 축구동아리에 가입하지 않은 학생은 한 명 뿐이고 배구, 농구동아리에 가입한 학생은 각각 2명이다. B는 야구, C는 농구, D는 축구, 배구에 가입한 것을 알았을 때 다음 중 항상 옳은 것은?

① A는 축구동아리에 가입하였다.　　　② A는 농구동아리에 가입하였다.

③ C는 축구동아리에 가입하였다.　　　④ C는 야구동아리에 가입하지 않았다.

⑤ B는 배구동아리에 가입하지 않았다.

네 명의 학생이 각각 2개씩의 동아리에 가입했으므로 각 동아리의 가입자를 전부 더하면 8명이다. 축구동아리에 가입한 학생이 3명, 배구, 농구동아리가 각 2명씩이므로 야구동아리에 가입한 사람은 1명이다. B가 야구동아리에 가입했으므로 A, C, D는 야구에 가입하지 않았다.

Answer ↱ 18.② 19.② 20.④

21 갑, 을, 병 세 사람은 면세점에서 A, B, C 브랜드 중 하나의 가방을 각각 구입하려고 한다. 각 브랜드의 제품에 대한 평가와 갑, 을, 병 각자의 제품을 고르는 기준이 다음과 같을 때, 소비자들이 구매할 제품으로 바르게 짝지어진 것은?

〈브랜드별 소비자 제품평가〉

	A	B	C
브랜드명성	10	7	7
경제성	4	8	5
디자인	8	6	7
소재	9	6	3

〈소비자별 구매기준〉

갑 : 브랜드명성이 가장 좋게 평가된 제품을 선택한다.
을 : 모든 속성을 종합적으로 가장 좋은 대안을 선택한다.
병 : 경제성 점수가 가장 높은 제품을 선택한다.

	갑	을	병
①	A	A	A
②	A	A	B
③	A	B	A
④	B	A	B
⑤	B	B	A

ㄱ 갑 : 브랜드명성이 가장 좋게 평가된 A 브랜드 제품을 선택한다.
ㄴ 을 : 각 제품의 속성을 종합적으로 평가하면 다음과 같다.
 • A : $10+4+8+9=31$
 • B : $7+8+6+6=27$
 • C : $7+5+7+3=22$
 ∴ A 브랜드 제품을 선택한다.
ㄷ 병 : 경제성 점수가 가장 높은 B 브랜드 제품을 선택한다.

| 22~23 | A, B, C, D 네 개의 추를 저울에 올렸더니 아래와 같은 결과가 나왔다. 다음 각 물음에 답하시오.

- A와 B가 담긴 접시가 C와 D가 담긴 접시보다 무거웠다.
- B는 D보다 가볍다.
- C는 B보다 가볍다.
- A, B, C, D를 담은 각 접시의 무게는 동일하다.

---

22 다음 중 항상 참인 것은?

① A는 B보다 무겁다.

② C는 D보다 가볍다.

③ B와 C를 합한 무게는 D보다 무겁다.

④ A와 C를 합한 무게는 B와 D를 합한 무게보다 무겁다.

⑤ A의 무게가 가장 무겁다.

> (Tip) (A + B) > (C + D)
> D > B > C
> 따라서 항상 참인 것은 ②이다.

23 만약 A와 C를 합한 무게와 B와 D를 합한 무게가 동일하다면, 가장 무거운 추는 무엇인가?

① A   ② B

③ C   ④ D

⑤ 알 수 없다.

> (Tip) ① C가 B나 D보다 가벼우므로, A는 D보다 무거워야 한다. 따라서 가장 무거운 추는 A가 된다.

Answer↱ 21.② 22.② 23.①

┃24~25┃ 어제는 네 명 중 세 명은 참을, 한 명은 거짓을 말했다. 오늘은 세 명은 거짓을, 한 명은 참을 말했다. 물음에 답하시오.

[어제]
- 깨비 : 나는 게임을 잘 해.
- 저승 : 깨비의 말은 거짓이야.
- 은탁 : 저승이는 거짓말을 하고 있어.
- 삼신 : 은탁이의 말은 참말이야.

[오늘]
- 깨비 : 나는 잘생겼어.
- 저승 : 깨비는 진실을 말했어.
- 은탁 : 저승이 말이 맞아.
- 삼신 : 은탁이는 거짓말쟁이야.

---

24 다음 중 오늘 참을 말한 사람은 누구인가?

① 깨비　　　　　　　　　　② 저승
③ 은탁　　　　　　　　　　④ 삼신
⑤ 알 수 없다.

 삼신이가 참을 말한 경우에만 세 명은 거짓을, 한 명은 참을 말한 조건이 성립한다.

25 다음 중 어제 거짓을 말한 사람은 누구인가?

① 깨비　　　　　　　　　　② 저승
③ 은탁　　　　　　　　　　④ 삼신
⑤ 알 수 없다.

 저승이가 거짓을 말한 경우에만 세 명은 참을, 한 명은 거짓을 말한 조건이 성립한다.

26 다음 제시된 전제에 따라 결론을 바르게 추론한 것은?

> • 국어를 좋아하는 학생은 영어를 좋아한다.
> • 사회를 좋아하는 학생은 국어를 좋아한다.
> • 국사를 싫어하는 학생은 사회를 좋아한다.
> • 과학을 좋아하는 학생은 국사를 싫어한다.
> • 그러므로 _____.

① 국어를 싫어하는 학생은 과학을 좋아한다.
② 사회를 좋아하는 학생은 국사를 좋아한다.
③ 영어를 싫어하는 학생은 과학을 싫어한다.
④ 국사를 좋아하는 학생은 국어를 싫어한다.
⑤ 과학을 싫어하는 학생은 영어를 좋아한다.

 명제의 대우 역시 참이므로,
• 영어를 싫어하는 학생은 국어를 싫어한다.
• 국어를 싫어하는 학생은 사회를 싫어한다.
• 사회를 싫어하는 학생은 국사를 좋아한다.
• 국사를 좋아하는 학생은 과학을 싫어한다.
= 영어× → 국어× → 사회× → 국사O → 과학×
그러므로 영어를 싫어하는 학생은 과학을 싫어한다.

Answer↱ 24.④ 25.② 26.③

27 다음 조건과 절차에 따를 때 사탕, 젤리, 초콜릿을 합하여 가장 많은 개수를 가져간 사람은?

> 효은, 태운, 세정이네 가족은 마트에서 사탕 15개, 젤리 40개, 초콜릿 25개를 사서 나눠 가지려고 한다. 효은, 태운, 세정이네 가족은 다음과 같다.
> • 효은이의 가족 : 아버지(44세), 어머니(42세), 효은(14세)
> • 태운이의 가족 : 아버지(46세), 어머니(45세), 태운(16세)
> • 세정이의 가족 : 할아버지(72세), 할머니(71세), 아버지(43세), 어머니(40세), 세정(15세)
>
> 사탕, 젤리, 초콜릿을 나눠 가지는 절차는 다음과 같다. 첫째, 한 사람당 사탕은 1개씩, 젤리는 3개씩, 초콜릿은 2개씩 가진다. 둘째, 남은 것 중 사탕은 효은이네 가족만, 젤리는 태운이네 가족만, 초콜릿은 세정이네 가족만 나눠 가진다. 단, 사탕은 나이가 많은 사람부터 순서대로 1개씩 가지고, 젤리와 초콜릿은 나이가 적은 사람부터 순서대로 1개씩 가진다. 두 번째 절차는 사탕, 젤리, 초콜릿을 다 나눠 가질 때까지 반복한다.

① 효은이네 아버지
② 태운이네 아버지
③ 태운
④ 세정이네 어머니
⑤ 세정

효은이의 가족	아버지	사탕(3), 젤리(3), 초콜릿(2), 총 8개
	어머니	사탕(2), 젤리(3), 초콜릿(2), 총 7개
	효은	사탕(2), 젤리(3), 초콜릿(2), 총 7개
태운이의 가족	아버지	사탕(1), 젤리(5), 초콜릿(2), 총 8개
	어머니	사탕(1), 젤리(5), 초콜릿(2), 총 8개
	태운	사탕(1), 젤리(6), 초콜릿(2), 총 9개
세정이의 가족	할아버지	사탕(1), 젤리(3), 초콜릿(2), 총 6개
	할머니	사탕(1), 젤리(3), 초콜릿(2), 총 6개
	아버지	사탕(1), 젤리(3), 초콜릿(3), 총 7개
	어머니	사탕(1), 젤리(3), 초콜릿(3), 총 7개
	세정	사탕(1), 젤리(3), 초콜릿(3), 총 7개

28 서원중학교 1학년 1반 학생들은 조회시간에 일렬로 서있다. 다음 명제를 보고 옳은 것을 고르면?

> • 민기 앞에 한 명이 있다.
> • 주성이 뒤에 한 명 이상이 있다.
> • 동욱이는 용택이 앞이다.
> • 대호는 앞에서 첫 번째 혹은 네 번째에 있다.
> • 용택이는 가장 마지막이다.

① 민기는 앞에서 네 번째이다.
② 용택이 앞에는 세 명이 있다.
③ 대호는 앞에서 두 번째이다.
④ 동욱이 뒤에는 두 명이 있다.
⑤ 주성이의 위치는 중간이다.

(Tip) 명제를 따라 나열하면 '대호, 민기, 주성, 동욱, 용택' 순이다.

29 다음 조건에 따라 간식을 지급할 때, 옳은 것은?

〈조건〉
㉠ 팀원 '갑, 을, 병, 정'에게 순서대로 간식을 나누어주려고 한다.
㉡ '을'은 두 번째로 간식을 받는다.
㉢ 최소 2명은 '을'보다 늦게 간식을 받는다.
㉣ '병'은 정의 바로 앞에서 간식을 받는다.
㉤ '정'은 처음이나 마지막에 간식을 받을 수 있다.

① '갑'은 마지막으로 간식을 받는다.
② '병'은 세 번째로 간식을 받는다.
③ '을'은 첫 번째로 간식을 받는다.
④ '정'은 '갑'보다 늦게 간식을 받는다.
⑤ '을'은 '정'보다 먼저 간식을 받는다.

Tip 간식은 '갑, 을, 병, 정' 순으로 받게 된다.

30 다음 근거에 따를 때, 기밀 유출에 가담한 사람을 모두 고르면?

> 甲회사는 신제품 출시를 앞두고 기밀이 유출되었다. 내부 소행으로 밝혀졌으며 관련자 5명(A, B, C, D, E)을 소환하여 조사한 결과 다음과 같은 사항들이 밝혀졌다.
> • 소환된 다섯 명이 모두 가담한 것은 아니다.
> • A와 B는 기밀 유출에 함께 가담하였거나 함께 가담하지 않았다.
> • B가 가담했다면 C가 가담했거나 A가 가담하지 않았다.
> • A가 가담하지 않았다면 D도 가담하지 않았다.
> • D가 가담하지 않았다면 A가 가담했고, C는 가담하지 않았다.
> • A가 가담하지 않았다면 E도 가담하지 않았다.
> • E가 가담했다면 C는 가담하지 않았다.

① A, B
② C, E
③ C, D, E
④ A, B, C, E
⑤ A, B, C, D

 ㉠ A와 B 둘다 가담한 경우 : 세 번째 조건에 의해 C가 가담했으며, 마지막 조건의 대우에 의해 E는 가담하지 않았다. 다섯 번째 조건의 대우에 의해 D도 가담했다. 따라서 가담한 사람은 A, B, C, D 4명이다.
㉡ A와 B 둘다 가담하지 않은 경우 : 네 번째 조건에 의해 D는 가담하지 않았다. 그러나 다섯 번째 조건에서 D가 가담하지 않았다면 A가 가담했다고 나와있으므로 이는 조건에 위배된다.

1 다음 중 '元'과 음이 같은 것은?

① 位   ② 瓦

③ 仁   ④ 月

⑤ 源

> **Tip** 元(으뜸 원)
> ① 위 ② 와 ③ 인 ④ 월 ⑤ 원

2 다음 중 '高'와 반대되는 의미의 한자어로 옳은 것은?

① 小   ② 强

③ 卓   ④ 弱

⑤ 低

> **Tip** 高(높을 고)
> ① 적을 소 ② 강할 강 ③ 높을 탁 ④ 약할 약 ⑤ 낮을 저

3 다음 중 한자의 획이 다른 하나는?

① 房   ② 門

③ 金   ④ 具

⑤ 革

> **Tip** ①②③④ 8획 ⑤ 9획

4 다음 밑줄 친 글자의 한자로 바른 것은?

> 행사   사업

① 社　　　　　　　　　② 思
③ 査　　　　　　　　　④ 事
⑤ 使

Tip　행사(行事) : 어떤 일을 시행함
　　 사업(事業) : 어떤 일을 일정한 목적과 계획을 가지고 짜임새 있게 지속적으로 경영함

5 다음 밑줄 친 부분의 한자로 바른 것은?

> 결초보은

① 結　　　　　　　　　② 決
③ 訣　　　　　　　　　④ 抉
⑤ 缺

Tip　결초보은(結草報恩) : 죽은 뒤에라도 은혜를 잊지 않고 갚음을 이르는 말

Answer↪　1.⑤　2.⑤　3.⑤　4.④　5.①

6 다음 제시된 문구 중 밑줄 친 부분의 한자로 옳은 것은?

> '洋夷侵犯 ____則和 主和賣國
>
> '서양 오랑캐가 침입하는데 싸우지 않는 것은 곧 화친하는 것이요, 화친을 주장하는 것은 나라를 팔아먹는 것이다.'

① 祕傳　　　　　　　② 非戰
③ 祕典　　　　　　　④ 飛錢
⑤ 飛電

　② 非戰 : 싸우지 않는 것
　① 祕傳 : 비밀히 전하여 내려옴. 또는 그런 방법
　③ 祕典 : 뜻이 깊은 내용을 담은 서적이나 경전
　④ 飛錢 : 중국 당나라 때 상인들 사이에 쓰던 환어음의 일종
　⑤ 飛電 : 아주 빠른 번개

7 다음 한자의 부수로 옳지 않은 것은?

① 注 – 氵
② 安 – 宀
③ 短 – 矢
④ 價 – 亻
⑤ 鳥 – 灬

　⑤ 鳥(새 조)의 부수는 鳥이다.
　① 물댈 주
　② 편안할 안
　③ 짧을 단
　④ 값 가

8 '子時'는 몇 시를 일컫는 말인가?

① 오후 7시~오후 9시 　　　　② 오후 9시~오후 11시

③ 오후 11시~오전 1시 　　　　④ 오전 1시~오전 3시

⑤ 오전 3시~오전 5시

> (Tip) ① 술시(戌時) ② 해시(亥時) ④ 축시(丑時) ⑤ 인시(寅時)

9 다음과 반대의 뜻을 가진 한자어는?

> 强靭

① 强大 　　　　② 勤勉

③ 樂天 　　　　④ 懦弱

⑤ 緊張

> (Tip) 强靭과 반대의 뜻을 가진 단어는 懦弱이다.
> • 强靭(굳셀 강, 길 인) : 억세고 질김
> • 懦弱(나약할 나, 약할 약) : 의지가 굳세지 못함
> ① 강대 ② 근면 ③ 낙천 ⑤ 긴장

10 '둘 이상이 서로 북돋우며 다 같이 잘 살아감'을 뜻하는 '상생'의 한자어로 옳은 것은?

① 上生 　　　　② 常生

③ 尙生 　　　　④ 相生

⑤ 床生

> (Tip) ④ 相生(서로 상, 살 생) : 둘 이상이 서로 북돋우며 다 같이 잘 살아감

Answer ↪ 6.② 7.⑤ 8.③ 9.④ 10.④

11 다음 중 음이 다른 하나는?

① 時   ② 市

③ 試   ④ 結

⑤ 始

> (Tip)
> ① 때 시
> ② 저자 시
> ③ 시험 시
> ④ 맺을 결
> ⑤ 처음 시

12 다음 두 한자가 의미하는 뜻으로 알맞은 것은?

> 美　佳

① 옳다   ② 아름답다

③ 너그럽다   ④ 기뻐하다

⑤ 맛있다

> (Tip) 美(아름다울 미), 佳(아름다울 가)

13 다음 중 '善導'와 비슷한 말은?

① 先行   ② 人道

③ 幸福   ④ 追求

⑤ 引導

> (Tip) 善導(선도) : 좋은 길로 올바르게 인도(引導)함
> ① 선행 : 착하고 어진 행실
> ② 인도 : 사람이 다니는 길
> ③ 행복 : 복된 좋은 운수
> ④ 추구 : 어디까지나 뒤쫓아 구함
> ⑤ 인도 : 이끌어 지도함

14 다음 밑줄 친 부분에 공통으로 들어갈 한자로 적절한 것은?

> ＿勤, ＿張

① 性　　　　　　　　　② 根
③ 山　　　　　　　　　④ 尤
⑤ 出

> (Tip) 出勤(나갈 출, 부지런할 근) : 일터로 근무하러 나가거나 나옴
> 出張(나갈 출, 베풀 장) : 용무를 위하여 임시로 다른 곳으로 나감

15 다음 밑줄 친 한자의 독음으로 옳은 것은?

> 대략 14세기경 두 <u>未詳</u>의 작가가 쓴 한 저서에서 발견되었다.

① 의문　　　　　　　　② 미혼
③ 미상　　　　　　　　④ 부류
⑤ 친구

> (Tip) ③ 未詳(아닐 미, 자세할 상) : 확실하거나 분명하지 않음

Answer⟶ 11.④　12.②　13.⑤　14.⑤　15.③

16 밑줄 친 '대안'의 내용으로 옳은 것은?

> 양역(良役)의 절반을 감하라는 명령이 내려졌다. 국왕께서 명정전에 나아가 전직·현직 대신과 비국당상 및 육조당상, 양사 여러 신하들을 두루 불러 양역의 변통에 대한 대책을 물었다. 국왕께서 말하기를, "…(중략)… 이제 1필을 감하는 것을 확정하니, 1필을 감한 대안을 경 등은 잘 강구하라."라고 하였다.

① 지주들에게 결작미를 징수하였다.
② 관리들에게 역분전을 지급하였다.
③ 토지 소유권 증명 문서인 지계를 발급하였다.
④ 춘궁기에 곡식을 대여하는 진대법을 실시하였다.
⑤ 공납을 토지 결수에 따라 쌀, 동전 등으로 징수하였다.

 제시된 자료는 영조 때 실시된 균역법에 대한 것이다. 정부는 균역법 시행으로 부족해진 수입을 보충하기 위해 지주에게 1결당 쌀 2두를 부과하였다.
② 고려 초기 ③ 대한 제국 ④ 고구려 ⑤ 조선 후기

17 (가), (나) 나라에 대한 설명으로 옳은 것은?

> • (가)에서는 여자가 열 살만 되면 혼인을 허락한다. 남편이 될 사람이 여자를 자기 집으로 데려다가 길러 성인이 되었을 때 여자의 집에 돈을 지불한다.
> • (나)에서는 같은 성씨끼리는 혼인하지 않는다. 또한 읍락끼리 서로 침범하는 일이 있으면 그 벌로 노비나 소 또는 말을 내놓도록 한다.

① (가) - 8조법을 마련하여 적용하였다.
② (가) - 제가 회의에서 중대사를 결정하였다.
③ (나) - 전기 가야 연맹의 맹주로 활동하였다.
④ (나) - 지배층을 대상으로 골품제를 운영하였다.
⑤ (가), (나) - 고구려의 압력을 받아 공납을 바쳤다.

 (가)는 옥저, (나)는 동예이다.
① 고조선 ② 고구려 ③ 금관가야 ④ 신라

18 밑줄 친 '전쟁'의 경과를 알아보기 위한 탐구 활동으로 가장 적절한 것은?

> 전쟁이 일어난 뒤에 경상, 전라, 충청 3도에서 군인과 양곡을 독촉하자 백성들은 흩어져 도망가 버렸다. 하지만 점차 여러 도에서 왜적에 맞서 의병이 일어났다. 도 내의 거족으로 명망 있는 사람과 유생 등이 조정의 명을 받들어 의를 부르짖고 일어나니, 소문을 들은 자들이 격동하여 가담하였다.

① 어재연이 강화도에서 전개한 활동을 찾아본다.
② 인조가 남한산성으로 피신한 까닭을 알아본다.
③ 이순신이 이끄는 수군이 승리한 전투를 조사한다.
④ 서희가 소손녕과 벌인 담판의 주요 쟁점을 정리한다.
⑤ 을지문덕이 적군 장수에게 보낸 시의 내용을 분석한다.

 밑줄 친 '전쟁'은 임진왜란이다.
　① 신미양요　② 병자호란　④ 거란의 1차 침입　⑤ 살수 대첩

19 다음 글이 발표된 당시에 볼 수 있던 모습으로 가장 적절한 것은?

> 우리는 중국에서 성립된 이래로 불굴의 자세로 항일 전쟁을 수행하면서 모든 난관을 극복해 왔다. 우리가 활동할 수 있도록 많은 원조를 보내주신 여러 중국 인사들에게 감사의 뜻을 전한다. 그러나 우리는 결코 여기에 만족해서는 안 될 것이다. 태평양 전쟁을 일으킨 일본은 최후의 발악을 하고 있다. 우리는 일본과 결전을 벌여 독립과 자유를 쟁취해야만 할 것이다.

① 국채 보상 운동에 참여하는 부녀자
② 일본 공사관을 습격하는 구식 군인
③ 황성신문 창간호를 인쇄하는 노동자
④ 정전 협정 반대 시위를 벌이는 학생
⑤ 병사들을 훈련시키는 한국 광복군 간부

　　　제시된 글은 1940년대이다.
　　　① 1907년　② 1882년　③ 1898년　④ 1951년

Answer↱　16.① 17.⑤ 18.③ 19.⑤

20 ㈎를 수도로 삼은 시기 백제의 상황으로 옳은 것은?

> 〈백제의 수도 변천〉
> 한성(한강 유역) → ㈎ → 사비(부여)

① 과거 제도가 실시되었다.

② 국호가 남부여로 바뀌었다.

③ 22담로에 왕족이 파견되었다.

④ 9서당 10정의 군사 조직이 갖추어졌다.

⑤ 최고 교육 기관으로 국자감이 설립되었다.

 백제는 5세기 후반에 고구려 장수왕의 침공으로 한성을 빼앗기고 웅진(공주)으로 천도하였다.
③ 웅진 시기에 백제의 무령왕은 22담로에 왕족을 파견하여 지방 통제를 강화하였다.

21 다음 비문의 내용을 바탕으로 당시 상황을 바르게 설명한 것은?

> (영락) 9년 백제가 서약을 어기고 왜와 화통하므로 왕은 평양으로 순수해 내려갔다. 신라가 사신을 보내 왕에게 "왜인이 그 국경에 가득차 성을 부수었으니 노객은 백성된 자로서 옹에게 귀의하여 분부를 청한다."라고 말하였다.
>
> …
>
> 10년(400) 경자에 보병과 기병 5만을 보내 신라를 구원하였다.

① 신라는 고구려의 영향권 안에 있었다.

② 고구려는 백제와 협력하여 왜구를 격퇴하였다.

③ 고구려 신라 간의 세력 경쟁에 백제가 개입하였다.

④ 신라는 왜와 친선관계를 유지하며 고구려를 견제하였다.

⑤ 왜구를 격퇴하기 위해 백제와 신라는 군사적 동맹 관계를 맺었다.

 제시된 자료는 광개토대왕비 비문의 내용이다. 영락 10년(400) 신라가 구원을 요청하자 광개토대왕이 파병하여 왜구를 물리쳤다는 내용으로 당시 신라가 고구려의 영향권 아래에 있었다는 것을 의미한다.
※ 광개토대왕릉비 … 광개토대왕의 영토 확장에 대한 업적을 알 수 있는 것으로 고구려가 만주를 지배한 강한 나라임을 보여주고 있다.

22 8세기 우리나라를 나타낸 지도이다. 이에 대한 설명으로 바르지 못한 것은?

① (가)와 (나)는 모두 왕권의 전제화가 이루어졌다.

② (가)와 (나)는 유교 정치 이념의 수용에 적극적이었다.

③ (가)와 (나)는 관리들의 비위를 감찰하는 기구가 있었다.

④ (가)와 (나)는 당과의 교류를 통해 3성 6부의 정치 조직을 그대로 모방하였다.

⑤ (가)는 다민족으로 구성된 국가이며, (나)는 단일 민족으로 구성된 국가였다.

 ④ (가)는 발해이고, (나)는 신라이다. 발해는 당의 3성 6부 조직을 모방하였으나, 명칭과 운영은 독자적이었으며, 신라의 중앙 정치 조직은 독자적인 것이었다.

23 ○○고 1학년 학생의 쪽지 시험 답안지이다. 이 학생이 받을 점수로 옳은 것은?

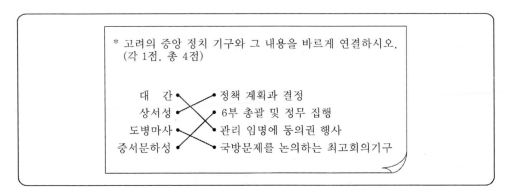

① 0점 ② 1점
③ 2점 ④ 3점
⑤ 4점

> (Tip) 상서성은 6부 총괄 및 정무 집행, 중서문하성은 정책 계획과 결정을 담당한 정치 기구이다.

24 다음에서 설명하고 있는 <u>이것</u>은 무엇인가?

> • 충무공은 임진왜란 때 부녀자들에게 남자 옷을 입도록 하고 좌수영 동쪽에 있는 옥매산(玉埋山)에 올려 보내 <u>이것</u>을 하도록 했다.
> • <u>이것</u>은 전남 서남해안 지방에서 주로 행해지는 민속놀이 중 하나이며, 1965년 문화재로 지정되었다. 2009년에는 유네스코 인류무형문화유산에도 등재되었다.

① 윷놀이 ② 씨름
③ 판소리 ④ 강강술래
⑤ 남사당놀이

> (Tip) 제시문에서 설명하고 있는 것은 강강술래이다. 1592년 이순신 장군은 부녀자들에게 남자 옷을 입고 옥매산에서 강강술래를 하도록 했고, 왜군이 우리나라 병력이 많다고 과대평가 하여 우리나라가 승리하도록 하는데 기여했다. 강강술래는 전남 서남해안 지방에서 주로 행해지는 민속놀이 중 하나이며, 1965년에 문화재로 지정, 2009년에 유네스코 인류무형문화유산에 등재되었다.

25 밑줄 친 대한 제국에서 추진한 개혁의 내용을 〈보기〉에서 모두 고른 것은?

> 1897년 10월 12일, 경운궁을 떠나 새로 지은 환구단으로 행차한 고종은 황제 즉
> 위식을 성대하게 치렀다. 이를 통해 황제가 통치하는 <u>대한 제국</u>으로 격상되었다.

〈보기〉
ㄱ 지계를 발급   ㄴ 군사 제도 개편
ㄷ 과부의 재가 허용   ㄹ 토지의 균등 분배

① ㄱ, ㄴ   ② ㄱ, ㄷ
③ ㄴ, ㄷ   ④ ㄴ, ㄹ
⑤ ㄷ, ㄹ

 대한 제국은 광무개혁을 실시하여 양전 사업을 통한 지계 발급, 군사 제도 개편, 근대적
회사와 공장 설립을 추진했다. 과부의 재가 허용은 갑오개혁, 토지의 균등 분배는 동학농
민운동과 관련 깊다.

26 다음 중 ㉠이 활동할 당시의 상황으로 적절하지 않은 것은?

〈씨름〉, 〈무동〉, 〈서당〉 등 국내에서 가장 유명한 이들 그림으로 이루어진 「풍속화 화첩」에 대한 논란이 다시 일고 있다. 이들 그림 중 〈씨름〉과 〈서당〉은 진품으로 보는 견해가 많으나 〈밭갈이〉, 〈나룻배〉 등은 필력과 구도 등이 다른 작품들보다 떨어지고 화풍도 달라 다른 화원이 그렸을 것이라는 설이 있다. 최근 이들 그림을 과학적으로 분석한 한 논문에서 모두 ㉠의 그림이 맞다는 결론을 내렸지만, 몇 년 전 일부 작품이 위작이라는 논문 또한 발표된 적이 있어 학계의 논란이 지속될 전망이다.

① 미술에서 진경산수화가 그려졌다.

② 서당 교육이 민간에까지 확대되었다.

③ 한글 소설과 사설시조가 유행하였다.

④ 청자의 뒤를 이어 분청사기가 등장하였다.

⑤ 소박한 미의식이 담긴 민화가 널리 그려졌다.

 조선 후기의 화가인 단원 김홍도와 관련된 자료가 제시되었다. 그러나 분청사기는 조선 초기에 제작되었다.
① 조선 후기에는 자연을 직접 보고 그리는 진경산수화가 나타났다.
② 서당 교육의 확대는 서민 문화 발달의 바탕이 되었다.
③ 조선 후기에는 현실의 부조리를 비판하는 한글 소설과 서민의 감정을 숨김없이 드러내는 사설시조가 유행하였다.
⑤ 조선 후기 민중의 미적 감각을 드러낸 민화가 유행하였다.

27 ⬤신문에 대한 설명으로 옳은 것을 〈보기〉에서 모두 고른 것은?

> ### 창간사
>
> 우리가 ___⬤___ 을 오늘 처음으로 출판하는데, 조선 속에 있는 내외국 인민에게 우리의 주의를 미리 말씀하여 아시게 하노라. 우리는 첫째, 편벽되지 아니한 고로 무슨 당에도 상관이 없고, 상하귀천을 달리 대접 아니하고, 모두 조선 사람으로만 알고, 조선만을 위하며, 공평히 인민에게 말할 터인데, … 또 한쪽에 영문으로 기록하기는, 외국 인민이 조선 사정을 자세히 모른즉 혹 편벽된 말만 듣고 조선을 잘못 생각할까 보아 실상 사정을 알게 하고자 하여 영문으로 조금 기록함이라. 우리 신문이 한문을 아니 쓰고 다만 국문으로만 쓰는 것은 상하 귀천이 다 보게 함이라.

> 〈보기〉
>
> ㉠ 최초의 민간 신문이었다.
> ㉡ 정부의 지원을 받아 창간하였다.
> ㉢ 최초의 상업 광고를 게재하였다.
> ㉣ 국채 보상 운동을 적극 지원하였다.

① ㉠, ㉡   ② ㉠, ㉢

③ ㉡, ㉢   ④ ㉡, ㉣

⑤ ㉢, ㉣

 외국 인민에게 조선의 사정을 알게 하고자 한쪽을 영문으로 기록했다는 점에서 ⬤이 「독립신문」임을 알 수 있다. 「독립신문」은 최초로 한글만을 사용하여 국민을 계몽하고 한 면을 영문으로 발행해 국제적 여론을 유리하게 형성하는 데 도움을 주었다.
ㄱㄴ 「독립신문」은 정부의 지원을 받았으나 서재필이 창간한 최초의 민간 신문이었다.
ㄷ 최초의 상업 광고를 게재한 신문은 「한성주보」이다.
ㄹ 국채 보상 운동을 적극 지원한 신문은 「대한매일신보」와 「황성신문」 등이다.

Answer↱ 26.④ 27.①

28 다음에서 설명하는 고려의 신분 계층은?

> 고려 전기로부터 그 세력을 이어 내려오거나, 무신 정권 시대에 대두한 가문도 있기는 하였으나, 주로 원의 세력을 배경으로 하여 등장한 경우가 많았다. 이들은 국정의 최고 합의 기관인 도평의사사를 독점하여 정권을 장악했을 뿐만 아니라, 방대한 농장과 많은 노비를 소유하여 경제적인 부를 축적하고 있었다.

① 호족 세력   ② 문벌 귀족

③ 권문 세족   ④ 무신

⑤ 개국 공신

Tip ③ 권문(權門)과 세족(世族)을 합쳐 부르는 말로, 고려 후기 대표적인 정치세력의 하나이다. 고려 전기의 문벌귀족이 12세기에 이르러 무신난에 의해 몰락하면서 대몽 항쟁 이후 새로 형성된 지배세력을 권문세족이라 칭하였다.

29 다음 설명과 관련된 나라는?

> • 책화라는 풍속이 있어 읍락을 함부로 침범하면 노비와 소 · 말로 변상하였다.
> • 해마다 10월이면 하늘에 제사를 지내는데, 밤낮으로 노래를 부르고 춤추니 이를 무천이라 하였다.
> • 왕이 없었고 읍군, 삼로라고 불리는 군장이 각 읍락을 다스렸다.

① 옥저   ② 동예

③ 부여   ④ 삼한

⑤ 고구려

Tip ② 책화와 무천 풍속은 동예에 해당한다.

30 다음 사료를 읽고 당시의 정치상황과 연결하여 내린 결론으로 타당하지 않은 것은?

> 붕당의 폐해가 요즈음보다 심한 적이 없었다. 근래에 와서 인재의 임용이 당목 (黨目)에 들어 있는 사람만으로 이루어지니 이러한 상태가 그치지 않는다면 조정에 벼슬한 사람이 몇 명이나 되겠는가. …… 지금 새롭게 중창할 시기를 맞이하여 어찌 잘못을 고치고 신정(新政)에 힘쓸 생각이 없겠는가. 유배된 사람들은 그 경중을 헤아려 이조가 탕평의 정신으로 수용토록 하라. …… 나의 이 말은 위로는 종사(宗社) 를 위하고 아래로는 조정을 진정하려는 것이다. 혹시 이를 의심하거나 기회로 생각 하여 상소를 제기하여 알력을 빚는다면, 평생 동안 금고(禁錮)에 처하여 조정에 참 여할 뜻이 없는 것으로 간주하겠다.
>
> −「영조실록」

① 붕당의 폐해를 타파하기 위해 탕평책이 등장하였다.

② 일당전제의 파행적 정치 운영이 붕당의 폐해 가운데 하나였다.

③ 영조는 탕평책을 통해 붕당정치의 폐단을 근본적으로 해결하였다.

④ 영조는 왕권을 강화함으로써 붕당간의 균형관계를 정립하고자 하였다.

⑤ 영조는 노론과 소론을 조정하면서 일련의 군제 개혁과 정치 개혁을 단행하였다.

 ③ 영조의 탕평책은 붕당 정치의 폐단을 근본적으로 해결한 것이 아니라 강력한 왕권으로 붕당 사이의 치열한 다툼을 일시적으로 억누른 것에 불과했다.

04 수리력

예시문항

LG그룹 채용 홈페이지에서 공개한 예시문항입니다.

Q 다음은 2009년 7월과 2010년 7월의 시·도별 고용률 및 실업률을 나타낸 것이다. 다음 표에 대한 설명으로 옳은 것을 고르시오.

(단위 : %)

구분	고용률		실업률	
	2009. 7.	2010. 7.	2009. 7.	2010. 7.
전국	59.4	59.8	3.7	3.7
서울	58.4	59.7	4.8	4.5
부산	54.2	55.0	4.6	3.6
대구	57.2	57.7	4.1	4.2
인천	60.8	61.0	4.5	4.7
광주	57.0	57.7	3.2	3.4
대전	58.2	57.7	4.4	4.1
울산	57.4	59.2	4.5	3.6

① 고용률이 가장 크게 상승한 도시는 서울이다.
② 고용률은 모든 도시에서 상승하였다.
③ 고용률은 증가하고 실업률이 감소하는 도시는 서울, 부산뿐이다.
④ 인천과 광주는 실업률의 증가폭이 같다.
⑤ 울산의 실업률이 가장 크게 감소하였다.

 ⑤ 실업률이 가장 크게 감소한 도시는 1%p가 감소한 부산이다.
   ① 고용률이 가장 크게 상승한 도시는 1.8%p가 상승한 울산이다.
   ② 대전은 고용률이 하락하였다.
   ③ 고용률이 증가하고 실업률이 감소하는 도시는 서울, 부산 외에 울산도 포함된다.
   ④ 인천과 광주는 둘 다 실업률이 0.2%p 증가하였다.

답 ⑤

▌1~10 ▌ 다음 톱니바퀴의 규칙을 찾아 답을 고르시오.

1

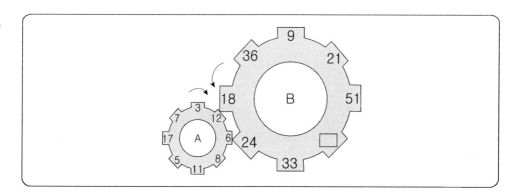

① 15
② 16
③ 17
④ 18
⑤ 19

(Tip) A × 3 = B

2

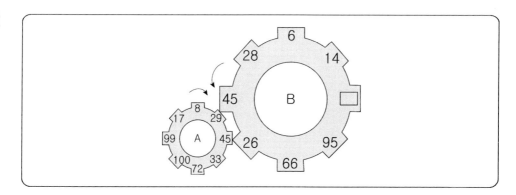

① 91
② 96
③ 95
④ 97
⑤ 99

(Tip) A − 0 = B, A − 1 = B, A − 2 = B, …

Answer↪ 1.① 2.③

3

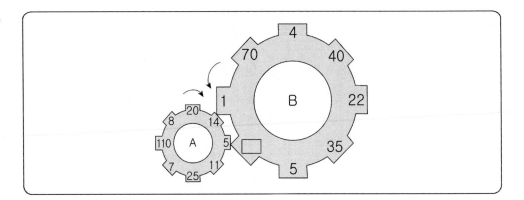

① 50   ② 55

③ 60   ④ 65

⑤ 70

Tip $A \div 5 = B, \ A \times 5 = B$

4

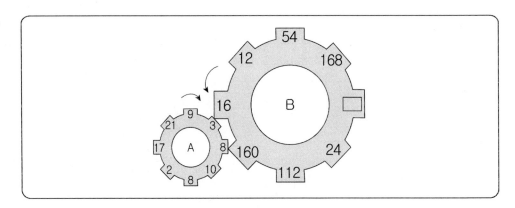

① 142   ② 148

③ 154   ④ 162

⑤ 170

Tip $A \times 2 = B, \ A \times 4 = B, \ A \times 6 = B, \ \cdots$

5

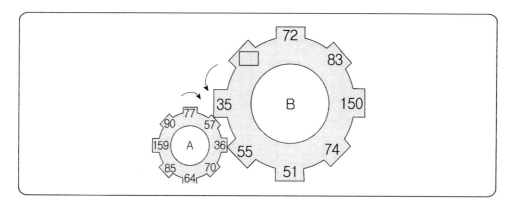

① 53
② 54
③ 55
④ 56
⑤ 57

(Tip) $A - 1 = B$, $A - 3 = B$, $A - 5 = B$, ···

6

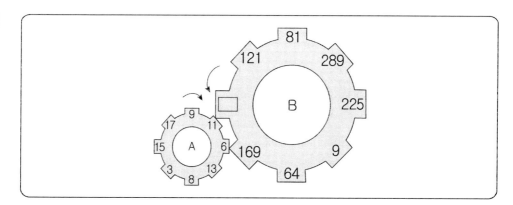

① 30
② 33
③ 36
④ 39
⑤ 42

(Tip) $A^2 = B$

Answer ↪ 3.② 4.⑤ 5.② 6.③

7

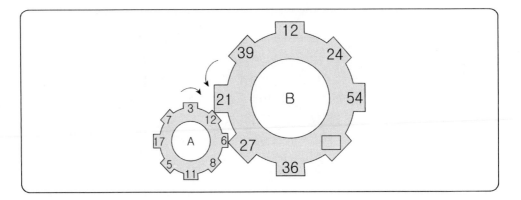

① 18   ② 25

③ 28   ④ 31

⑤ 34

Tip $A \times 3 + 3 = B$

8

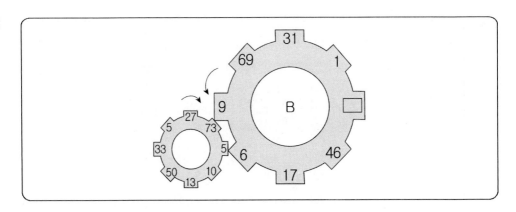

① 35   ② 37

③ 39   ④ 41

⑤ 43

Tip $A + 4 = B$, $A - 4 = B$이 반복되고 있다.

9

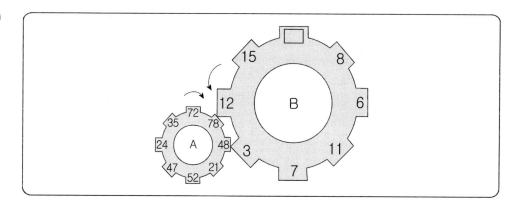

① 6

② 7

③ 8

④ 9

⑤ 10

<Tip> A의 각 자리수를 더하면 B가 된다.

10

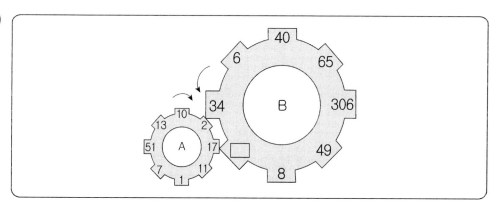

① 92

② 95

③ 99

④ 112

⑤ 121

<Tip> A × 2 = B, A × 3 = B, A × 4 = B, ⋯

Answer ↪ 7.① 8.② 9.④ 10.③

11 다음 표는 우리나라의 지역별 기상통계에 관한 표이다. 이에 대한 설명으로 적절하지 않은 것은?

관측 지점별	2014. 11				2014. 12			
	평균 기온 (℃)	강수량 (mm)	평균 풍속 (m/s)	평균 습도 (%)	평균 기온 (℃)	강수량 (mm)	평균 풍속 (m/s)	평균 습도 (%)
속초	10.2	51.6	2.2	60.0	0.6	0.2	3.0	38.0
철원	5.6	42.2	1.3	70.0	-5.9	13.1	1.4	62.0
대관령	3.7	41.4	3.0	71.0	-6.7	11.7	5.9	61.0
서울	9.0	41.5	2.5	61.0	-2.9	17.9	2.8	56.0
인천	9.2	46.0	3.1	75.0	-2.1	24.3	4.1	70.0
울릉도	10.8	94.9	3.3	62.0	2.2	135.9	3.5	59.0
대전	8.5	40.7	1.2	77.0	-1.3	36.5	1.4	75.0
대구	10.3	45.3	1.5	60.0	1.2	5.5	2.4	47.0
부산	12.7	40.5	2.5	61.0	3.5	21.3	3.3	50.0
제주	13.9	100.3	3.1	68.0	7.3	47.2	4.9	64.0

① 2014년 11월에 평균 기온이 가장 높은 지역은 12월에도 평균 기온이 가장 높았다.

② 대구의 강수량은 2014년 11월보다 12월에 39.8mm 감소했다.

③ 모든 지역에서 2014년 11월보다 12월의 평균 습도가 낮다.

④ 2014년 11월에 강수량이 가장 적은 지역은 부산이었지만, 12월에는 속초의 강수량이 가장 적다.

⑤ 2014년 11월과 12월을 비교했을 때 철원의 평균 풍속은 울릉도의 평균 풍속보다 변화가 크다.

> (Tip) ⑤ 철원의 경우 1.3m/s에서 1.4m/s로 변화하였고, 울릉도의 경우 3.3m/s에서 3.5m/s로 변화하였으므로 울릉도의 평균 풍속의 변화가 더 크다.

12 다음은 운동을 하는 사람의 몸무게 변화에 대한 그래프이다. 그래프에 대한 설명으로 옳지 않은 것은?

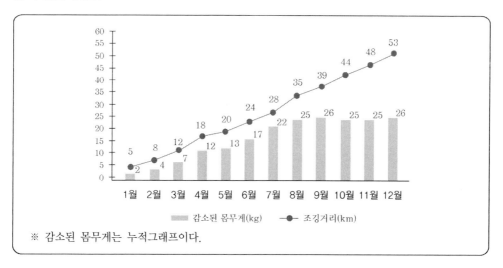

※ 감소된 몸무게는 누적그래프이다.

① 운동 증가량이 클수록 몸무게 변화가 큰 것은 아니다.
② 1월에서 8월까지는 운동 증가량에 따라 몸무게 또한 꾸준히 감소했다.
③ 가장 많은 몸무게 변화가 있었던 달에는 5kg이 감소했다.
④ 1년간 몸무게가 꾸준히 감소하지 않는 걸로 보아 운동량이 줄어들었다.
⑤ 8월 이후에는 몸무게의 변화가 크지 않다.

(Tip) ④ 조깅거리는 꾸준히 증가한 것으로 보아 운동량이 줄어 든 것은 아니다.

Answer ↦ 11.⑤ 12.④

13 다음 표는 A, B 두 목격자의 도주자 성별에 대한 판정의 정확성을 정리한 것이다. 아래의 기술 중 옳은 것을 모두 고르면?

〈표 1〉 A 목격자

실제성별 \ A의 결정	여자	남자	합
여자	35	15	50
남자	25	25	50
합	60	40	100

〈표 2〉 B 목격자

실제성별 \ B의 결정	여자	남자	합
여자	20	30	50
남자	5	45	50
합	25	75	100

㉠ 전체 판정성공률은 B가 A보다 높다.
㉡ 실제 도주자가 여성일 때 판정성공률은 B가 A보다 높다.
㉢ 실제 도주자가 남성일 때 판정성공률은 B가 A보다 높다.
㉣ A, B 모두 여성 도주자에 대한 판정성공률이 남성 도주자에 대한 판정성공률보다 높다.

① ㉠

② ㉠, ㉡

③ ㉠, ㉢

④ ㉠, ㉡, ㉢

⑤ ㉡, ㉢, ㉣

○ 전체 판정성공률

- A : $\dfrac{35+25}{100}=60(\%)$

- B : $\dfrac{20+45}{100}=65(\%)$

$\therefore A<B$

○ 실제 도주자가 여성일 때 판정성공률

- A : $\dfrac{35}{50}\times100=70(\%)$

- B : $\dfrac{20}{50}\times100=40(\%)$

$\therefore A>B$

○ 실제 도주자가 남성일 때 판정성공률

- A : $\dfrac{25}{50}\times100=50(\%)$

- B : $\dfrac{45}{50}\times100=90(\%)$

$\therefore A<B$

② ○○에서 보면 A는 여성 도주자에 대한 판정성공률이 높고, B는 남성 도주자에 대한 판정성공률이 높다는 것을 알 수 있다.

|14~15| 다음 표는 인천의 연도별 교통사고에 대한 자료이다. 질문에 답하시오.

(단위 : 건)

구분	2012년	2013년	2014년	2015년	2016년
인명 피해 건수	3,200	3,005	4,523	5,118	4,935
사망	742	653	1,188	1,509	(나)
부상	2,458	2,352	(가)	3,609	3,972

※ 인명피해 = 사망 수 + 부상 수

※ 사망률 = $\dfrac{\text{사망수}}{\text{인명 피해 건수}}$

14 (가)에 들어갈 숫자는?

① 3,335   ② 3,344

③ 3,349   ④ 3,421

⑤ 3,500

 $4,523 - 1,188 = 3,335$

15 (나)에 들어갈 숫자는?

① 880   ② 898

③ 945   ④ 963

⑤ 972

 $4,935 - 3,972 = 963$

16 다음은 2010~2012년도 천안지역 H고등학교 학생들의 교복 구매에 대한 표이다. 표에 대한 설명으로 옳은 것은?

(단위 : 명)

판매년도 \ 브랜드	A	B	C	총합
2010	250	240	200	690
2011	230	250	220	700
2012	210	230	240	680
총합	(㉠)	720	660	

① 2011년 판매량이 가장 많은 브랜드는 A이다.

② 2010~2012년 동안 브랜드별 판매는 비슷하다.

③ 2010년과 2011년 A교복 구매자 수는 2011년, 2012년 B교복 구매자 수보다 적다.

④ 2010~2012년 동안 A교복에 대한 구매자 수는 감소 추세이다.

⑤ ㉠은 B의 총합보다 많다.

 ① 2011년 판매량이 가장 많은 브랜드는 B이다.
② 2010~2012년 동안 브랜드별 판매는 상이하다.
③ 2010년과 2011년 A교복 구매자 수는 2011년, 2012년 B교복 구매자 수와 같다.
⑤ ㉠은 690이므로 B의 총합보다 적다.

17 다음 〈표〉는 서울시 자치구별 내·외국인 현황에 대한 자료이다. 다음 표에 대한 설명으로 옳지 않은 것은?

(단위 : 명, %)

권역	자치구	내국인	구성비	외국인	구성비	전체	구성비
1	성북구	445,710	4.7	11,134	3.3	456,844	4.6
	강북구	315,754	3.3	4,238	1.3	319,992	3.2
	도봉구	337,541	3.5	2,554	0.8	340,095	3.4
	노원구	558,270	5.8	4,726	1.4	562,996	5.7
2	성동구	285,137	3.0	9,869	2.9	295,006	3.0
	광진구	350,993	3.7	17,206	5.1	368,199	3.7
	동대문구	349,957	3.7	14,830	4.4	364,787	3.7
	중랑구	397,487	4.2	5,750	1.7	403,237	4.1
	강동구	438,201	4.6	6,184	1.8	444,385	4.5
3	종로구	146,119	1.5	15,402	4.6	161,521	1.6
	중구	118,021	1.2	10,457	3.1	128,478	1.3
	용산구	212,189	2.2	15,093	4.5	227,282	2.3
	은평구	472,775	4.9	5,599	1.7	478,374	4.8
	서대문구	297,761	3.1	11,007	3.3	308,768	3.1
	마포구	369,875	3.9	11,455	3.4	381,330	3.9
4	양천구	459,665	4.8	5,847	1.7	465,512	4.7
	강서구	562,468	5.9	8,039	2.4	570,507	5.8
	구로구	405,371	4.2	39,461	11.7	444,832	4.5
	금천구	225,898	2.4	24,792	7.4	250,690	2.5
	영등포구	357,484	3.7	49,044	14.5	406,528	4.1
5	동작구	392,969	4.1	14,925	4.4	407,894	4.1
	관악구	495,600	5.2	24,022	7.1	519,622	5.2
	서초구	413,695	4.3	7,109	2.1	420,804	4.2
	강남구	533,061	5.6	8,627	2.6	541,688	5.5
	송파구	625,195	6.5	9,746	2.9	639,941	6.4
총계		9,567,196	100.0	337,116	100.0	9,904,312	100.0

① 4권역의 내국인이 2권역의 내국인보다 많다.

② 1~5권역 중 외국인들이 가장 적은 곳은 1권역이다.

③ 영등포구 외국인 수는 관악구 외국인 수의 2배 이상이다.

④ 4권역의 외국인들의 구성비는 40%를 넘는다.

⑤ 내·외국인의 수가 가장 많은 자치구는 송파구이다.

 ④ 4권역의 외국인들의 구성비 : 1.7+2.4+11.7+7.4+14.5=37.7%

---

18 다음은 문제유형 A, B, C에 대한 정보이다. 문제당 풀이시간을 다 쓰면 정답이라고 간주한다. 총 제한시간이 120분일 때, 최대로 얻을 수 있는 점수는?

내용	A형 문제	B형 문제	C형 문제
문제당 배점	5점	6점	3점
문제당 풀이시간	2분	4분	1분
총 문제 수	20개	40개	10개

① 220점   ② 228점

③ 230점   ④ 233점

⑤ 235점

 단위시간당 배점은 A형 2.5점, B형 1.5점, C형 3점이다. C형 문제를 10분을 사용하고 30점을 획득할 수 있다. A형 문제를 40분을 사용하고 100점을 획득할 수 있다. 남은 70분 동안 B형 문제 17개를 풀면 102점을 획득할 수 있고, 2분이 남는다. A형 문제 하나를 포기하고 4분 동안 B형 문제 하나를 푸는 것이 더 높은 점수를 얻을 수 있다.
30+108+95=233

Answer → 17.④ 18.④

19 다음 〈표〉는 34개국의 국가별 1인당 GDP와 학생들의 수학성취도 자료이다. 이에 대한 설명으로 옳지 않은 것은?

(단위 : 천 달러, 점)

국가	1인당 GDP	수학성취도
룩셈부르크	85	490
카타르	77	375
싱가포르	58	573
미국	47	481
노르웨이	45	489
네덜란드	42	523
아일랜드	41	501
호주	41	504
덴마크	41	500
캐나다	40	518
스웨덴	39	478
독일	38	514
핀란드	36	519
일본	35	536
프랑스	34	495
이탈리아	32	485
스페인	32	484
한국	29	554
이스라엘	27	466
포르투칼	26	487
체코	25	499
헝가리	21	477
폴란드	20	518
러시아	20	482
칠레	17	423
아르헨티나	16	388
터키	16	448

멕시코	15	413
말레이시아	15	421
불가리아	14	439
브라질	13	391
태국	10	427
인도네시아	5	375
베트남	4	511

※ 국가별 학생 수는 동일하지 않고, 각 국가의 수학성취도는 해당국 학생 전체의 수학성취도 평균이며, 34개국 학생 전체의 수학성취도 평균은 500점임.

① 1인당 GDP가 스웨덴보다 높은 국가 중에서 수학성취도가 34개국 학생 전체의 평균보다 낮은 국가는 4개이다.

② 이탈리아는 베트남보다 1인당 GDP가 높지만 수학성취도는 낮다.

③ 수학성취도 하위 5개 국가의 수학성취도는 모두 300점대이다.

④ 1인당 GDP 하위 5개 국가의 수학성취도 평균은 428.6점이다.

⑤ 1인당 GDP가 가장 높은 국가와 1인당 GDP가 가장 낮은 국가의 수학성취도 차이는 21점이다.

> (Tip) ③ 수학성취도 하위 5개 국가는 카타르, 아르헨티나, 브라질, 인도네시아, 멕시코인데 멕시코는 413점이다.

20 두 자리의 자연수가 있다. 십의 자리의 숫자의 2배는 일의 자리의 숫자보다 1이 크고, 십의 자리의 숫자와 일의 자리의 숫자를 바꾼 자연수는 처음 수보다 9가 크다고 한다. 이를 만족하는 자연수는?

① 11
② 23
③ 35
④ 47
⑤ 59

> (Tip) 두 자리 자연수를 $10a+b$라 하면 주어진 문제에 따라 다음이 성립한다.
> $$\begin{cases} 2a=b+1 \\ 10b+a=(10a+b)+9 \end{cases} \Rightarrow \begin{cases} 2a-b=1 \\ 9a-9b=-9 \end{cases} \Rightarrow \begin{cases} 18a-9b=9 \\ 9a-9b=-9 \end{cases} \Rightarrow a=2,\ b=3$$
> 따라서 구하는 두 자리 자연수는 $10a+b=23$이다.

21 L그룹은 직원들의 인문학 역량 향상을 위하여 독서 캠페인을 진행하고 있다. 다음 〈표〉는 인사팀 사원 6명의 지난달 독서 현황을 보여주는 자료이다. 이 자료를 바탕으로 할 때, 〈보기〉의 설명 가운데 옳지 않은 것을 모두 고르면?

〈표〉 인사팀 사원별 독서 현황

구분 ＼ 사원	준호	영우	나현	준걸	주연	태호
성별	남	남	여	남	여	남
독서량(권)	0	2	6	4	8	10

〈보기〉
㉠ 인사팀 사원들의 평균 독서량은 5권이다.
㉡ 남자 사원인 동시에 독서량이 5권 이상인 사원수는 남자 사원수의 50% 이상이다.
㉢ 독서량이 2권 이상인 사원 가운데 남자 사원의 비율은 인사팀에서 여자 사원 비율의 2배이다.
㉣ 여자 사원이거나 독서량이 7권 이상인 사원수는 전체 인사팀 사원수의 50% 이상이다.

① ㉠, ㉡   ② ㉠, ㉢

③ ㉠, ㉣   ④ ㉡, ㉢

⑤ ㉡, ㉣

㉡ 남자 사원인 동시에 독서량이 5권 이상인 사람은 남자 사원 4명 가운데 '태호' 한 명이다. 1/4=25(%)이므로 옳지 않은 설명이다.
㉢ 독서량이 2권 이상인 사원 가운데 남자 사원의 비율 : 3/5
인사팀에서 여자 사원 비율 : 2/6
전자가 후자의 2배 미만이므로 옳지 않은 설명이다.
㉠ $\dfrac{독서량}{전체 \ 사원수} = \dfrac{30}{6} = 5$(권)이므로 옳은 설명이다.
㉣ 해당되는 사람은 '나현, 주연, 태호'이므로 3/6=50(%)이다. 따라서 옳은 설명이다.

22 멤버십의 등록 고객 중 여성이 75%, 남성이 25%라고 한다. 여성 등록 고객 중 우수 고객의 비율은 40%, 일반고객의 비율은 60%이다. 그리고 남성 등록 고객의 경우 우수고객이 30%, 일반고객이 70%이다. 등록 고객 중 한 명을 임의로 뽑았더니 우수고객이었다. 이 고객이 여성일 확률은?

① 65%   ② 70%

③ 75%   ④ 80%

⑤ 85%

 멤버십의 등록 고객 수를 x라 하면

여성의 수는 $\dfrac{75}{100}x$, 남성의 수는 $\dfrac{25}{100}x$

여성 중에 우수고객은 $\dfrac{75}{100}x \times \dfrac{40}{100} = \dfrac{3,000}{10,000}x$

남성 중에 우수고객은 $\dfrac{25}{100}x \times \dfrac{30}{100} = \dfrac{750}{10,000}x$

우수고객 중 여성일 확률은 $\dfrac{\dfrac{3,000}{10,000}x}{\dfrac{3,000}{10,000}x + \dfrac{750}{10,000}x} = \dfrac{3,000}{3,750} = \dfrac{4}{5}$ 이므로 80%이다.

23 지수가 어떤 지점을 왕복하는데 갈 때 속력은 6km/h, 올 때 속력은 4km/h로 하여 총 걸린 시간이 2시간 30분이었다면, 두 지점 간의 거리는 얼마인가?

① 4km   ② 5km

③ 6km   ④ 7km

⑤ 8km

 $v = \dfrac{s}{t}$

A에서 B까지의 거리를 x라 하고, 시간을 a라 하면,

$6 = \dfrac{x}{a}$ ··· ㉠

$4 = \dfrac{x}{2.5-a}$ ··· ㉡

두 식을 연립하여 풀면, $a=1$, $x=6$이 된다.

24 붉은 리본을 맨 상자에는 화이트 초콜릿 4개, 다크 초콜릿 2개가 들어 있고, 푸른 리본을 맨 상자에는 화이트 초콜릿 4개, 다크 초콜릿 4개가 들어 있다. 붉은 리본의 상자와 푸른 리본의 상자에서 초콜릿을 한 개씩 꺼낼 때 하나는 화이트 초콜릿이고, 다른 하나는 다크 초콜릿일 확률은?

① $\dfrac{1}{2}$ ② $\dfrac{1}{3}$

③ $\dfrac{1}{4}$ ④ $\dfrac{1}{5}$

⑤ $\dfrac{1}{6}$

 두 개 모두 화이트 초콜릿일 확률 : $\dfrac{4}{6} \times \dfrac{4}{8} = \dfrac{1}{3}$

두 개 모두 다크 초콜릿일 확률 : $\dfrac{2}{6} \times \dfrac{4}{8} = \dfrac{1}{6}$

두 개 모두 화이트 초콜릿이거나 다크 초콜릿일 확률 : $\dfrac{1}{3} + \dfrac{1}{6} = \dfrac{1}{2}$

따라서 구하는 확률은 $1 - \dfrac{1}{2} = \dfrac{1}{2}$

25 지현이는 펜과 연필 그리고 지우개를 모두 합해서 40개 가지고 있다. 연필의 개수는 펜의 개수보다 5개 많고, 지우개의 개수는 연필의 개수보다 3개 많을 때, 각각의 개수는?

	펜	연필	지우개
①	3	8	29
②	5	10	25
③	7	12	21
④	9	14	17
⑤	11	16	13

 펜의 개수를 x, 연필의 개수를 y, 지우개의 개수를 z라고 할 때,
$x + y + z = 40$
$y = x + 5$
$z = y + 3$
$x + (x+5) + (x+8) = 3x + 13 = 40$
$x = 9, y = 14, z = 17$

26 2014년 4월 1일 화요일은 둘이 만난 지 100일이 되는 날이다. 이 둘이 처음 만난 날은 무슨 요일이었는가? (단, 처음 만난 날을 만난 지 1일이라고 한다)

① 월요일   ② 화요일

③ 수요일   ④ 목요일

⑤ 금요일

 100 = 7×14+2이므로 2일째 되는 날은 화요일이다.
따라서 1일째 되는 날은 월요일이다.

27 A는 B보다 1살 많고, C는 B보다 4살이 적으며 A, B, C의 나이 평균은 12살이다. C의 나이는?

① 9세   ② 10세

③ 11세   ④ 12세

⑤ 13세

 $A = B + 1 \cdots \text{㉠}$
$C = B - 4 \cdots \text{㉡}$
$\dfrac{A+B+C}{3} = 12$
$\therefore A + B + C = 36$
㉠과 ㉡을 대입하면,
$B + 1 + B + B - 4 = 36$
$\therefore B = 13$
$\therefore A = 14, \ C = 9$

28 어느 가게에서 개업 30주년을 맞이하여 가방은 30% 할인하고, 모자는 15% 할인하여 판매하기로 하였다. 할인하기 전 가방과 모자의 판매 가격의 합은 58,000원이고, 할인한 후 가방과 모자의 판매 가격의 합은 43,000원일 때, 할인하기 전 가방의 판매 가격은?

① 25,000원   ② 28,000원

③ 30,000원   ④ 42,000원

⑤ 45,000원

 할인하기 전 가방의 판매 가격을 x, 모자의 판매 가격을 y라 하면

$x + y = 58,000$

$\dfrac{30}{100}x + \dfrac{15}{100}y = 15,000$

$\therefore x = 42,000$

29 유자시럽 24g과 물 176g을 잘 섞은 유자차에서 150g을 떠낸 후 몇 g의 물을 더 넣어야 8%의 유자차가 되는가?

① 20g   ② 25g

③ 30g   ④ 35g

⑤ 40g

 유자시럽 24g과 물 176g을 섞은 유자차의 농도 : $\dfrac{24}{24+176} \times 100 = 12(\%)$

12%의 유자차 50g에 들어 있는 유자시럽의 양 : $\dfrac{12}{100} \times 50(g)$

8%의 유자차 $(50+x)$g에 들어 있는 유자 시럽의 양 : $\dfrac{8}{100} \times (50+x)(g)$

유자시럽의 양은 변하지 않으므로

$\dfrac{12}{100} \times 50 = \dfrac{8}{100} \times (50+x)$

$600 = 400 + 8x \quad \therefore x = 25(g)$

30 같은 일을 A 혼자하면 12일, B 혼자하면 20일이 걸린다고 한다. A가 4일 동안 이 일을 하고 나서, A와 B가 함께 나머지 일을 모두 마치려면 며칠이 걸리겠는가?

① 2일   ② 3일

③ 4일   ④ 5일

⑤ 6일

> **(Tip)** A의 일의 속도를 a라고 하고, B의 일의 속도를 b라고 하면
>
> $a = \dfrac{w}{12},\ b = \dfrac{w}{20}$
>
> A가 4일 동안 할 수 있는 일의 양은 $\dfrac{w}{12} \times 4 = \dfrac{w}{3}$
>
> 남은 일의 양은 $w - \dfrac{w}{3} = \dfrac{2}{3}w$
>
> A와 B가 힘을 합친 속도는 $\dfrac{w}{12} + \dfrac{w}{20} = \dfrac{2}{15}w$
>
> 남은 일을 힘을 합쳐서 할 때 걸리는 기간 $\dfrac{2}{3}w \div \dfrac{2}{15}w = 5$일

05 도형추리

┃1~10┃ 다음에 제시된 예를 보고 $와 !에 들어갈 도형으로 옳은 것을 고르시오.

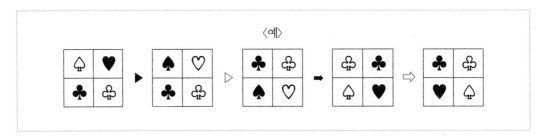

〈예〉

1

♡	☆
★	♥

▶

♥	★
★	♥

▷

★	♥
♥	★

▶

$	
	!

① ★ ♡   ② ☆ ★

③ ★ ☆   ④ ☆ ♥

⑤ ☆ ♡

Tip 제시된 예의 규칙을 파악하면 다음과 같다.
▶ 1행 색 반전
▷ 1행과 2행 교환
➡ 전체 색 반전
⇨ 1열과 2열 교환

2

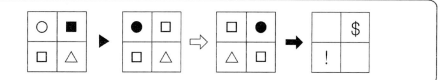

① ○ ▲   ② ■ ○

③ ○ ■   ④ ○ △

⑤ △ ■

3

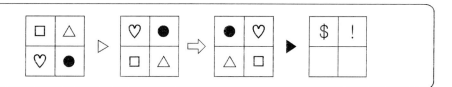

① ● △   ② ○ ♥

③ △ □   ④ ● ♡

⑤ ▲ □

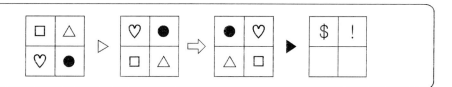

Answer⤳ 1.② 2.① 3.②

4

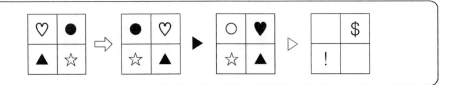

① ▲ ●　　　　　　　　　② △ ○

③ △ ●　　　　　　　　　④ △ ▲

⑤ ▲ ○

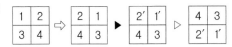

5

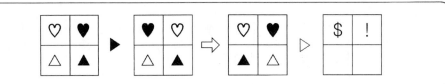

① ▲ △　　　　　　　　　② △ ▲

③ ♡ ♥　　　　　　　　　④ ♥ ♡

⑤ ♡ ▲

6

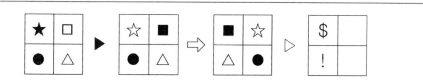

① ● ☆   ② △ ■

③ ○ ★   ④ ▲ □

⑤ □ ▲

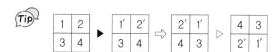

7

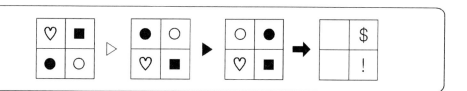

① ♡ ○   ② ♥ ■

③ ● □   ④ ○ □

⑤ ● ■

Answer → 4.⑤ 5.① 6.② 7.④

8

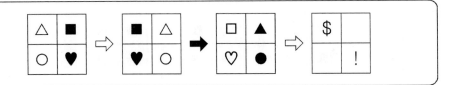

① △ ■   ② ○ ♥

③ ▲ ♡   ④ □ ♡

⑤ △ ♥

 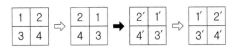

9

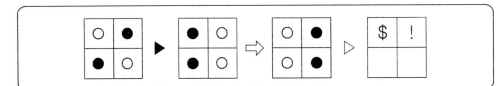

① ○ ●   ② ○ ○

③ ● ●   ④ ● ○

⑤ △ □

10

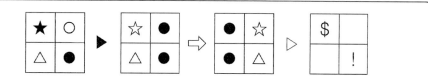

① ○ ☆
② ● ★
③ △ ●
④ ▲ ○
⑤ ● ☆

Tip

11~20 다음 주어진 [예제1]과 [예제2]를 보고 규칙을 찾아, [문제]의 A, B를 찾으시오.

[예제문제]

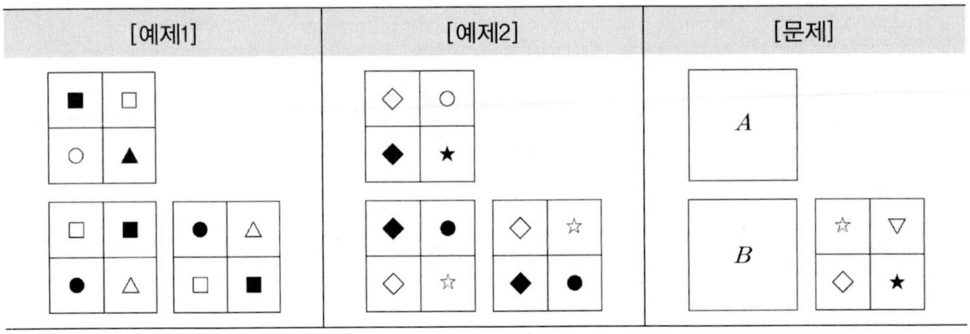

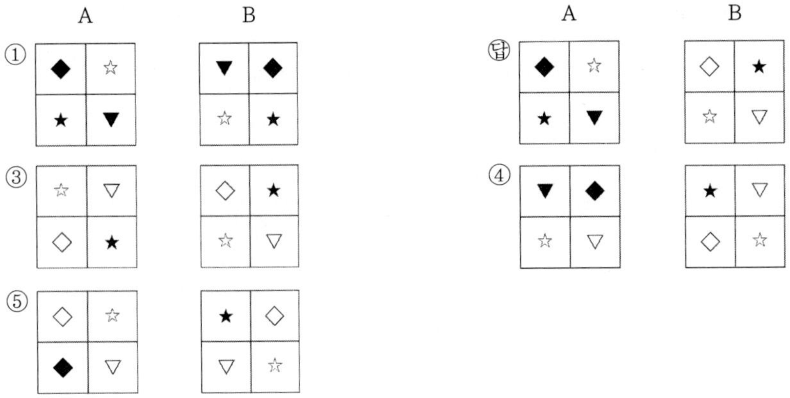

[예제1]	[예제2]	[문제]

Tip 세로규칙 : 색 반전

가로규칙 : 위, 아래 행 바뀜

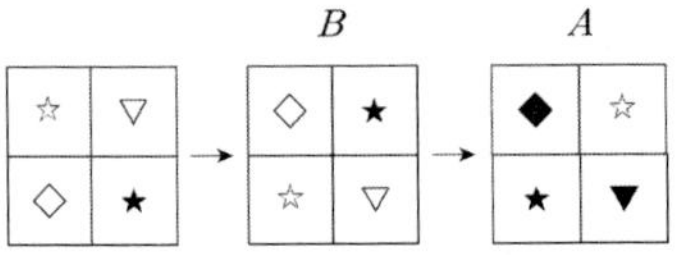

11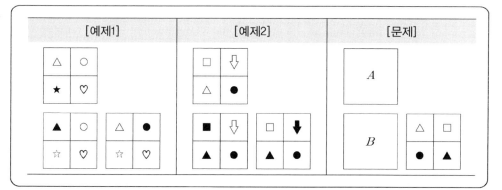

A   B   A   B

①   ②

③   ④

⑤

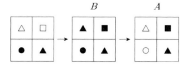
세로규칙 : 1열의 색 반전
가로규칙 : 1행의 색 반전

12

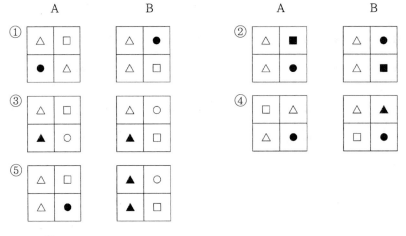

	A	B
①	△ □ / ● △	△ ● / △ □
②	△ ■ / △ ●	△ ● / △ ■
③	△ □ / ▲ ○	△ ○ / ▲ □
④	□ △ / △ ●	△ ▲ / □ ●
⑤	△ □ / △ ●	▲ ○ / ▲ □

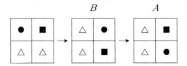

세로규칙 : 1행과 2행 바꿈
가로규칙 : 반시계 방향으로 한 칸씩 이동

13

[예제1]	[예제2]	[문제]

(예제1, 예제2, 문제 도형 영역)

A   B   A   B

①   ②   ③   ④   ⑤

Tip 세로규칙 : 시계 방향으로 한 칸씩 이동

가로규칙 : 색 반전

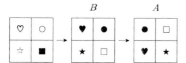

14

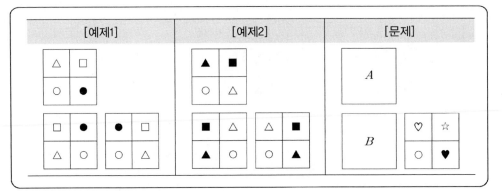

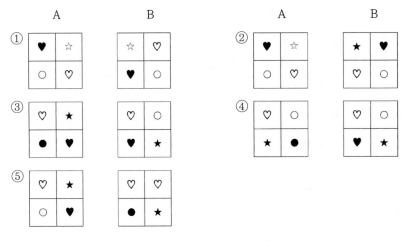

15

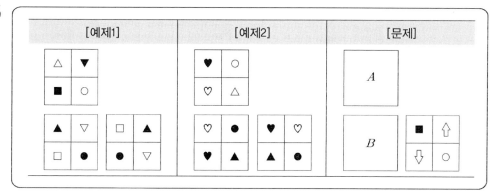

	A	B		A	B

① ⇦ ○ / □ ⇩   ⇧ ● / □ ⇩
② ⬆ ● / □ ⬇   ⇧ ○ / ■ ⇩
③ ⇦ ○ / □ ⇨   ⬆ ● / □ ⬇
④ ⬆ ● / □ ⇩   ⇧ ● / ■ ⇨
⑤ ⇧ ○ / ■ ⬇   ⇦ ○ / ⇧ □

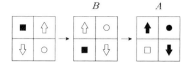

세로규칙 : 색 반전
가로규칙 : 시계 방향으로 한 칸씩 이동

16

[예제1]	[예제2]	[문제]

<table>
<tr><td>☆</td><td>●</td></tr>
<tr><td>♡</td><td>⇧</td></tr>
</table>

<table>
<tr><td>♡</td><td>□</td></tr>
<tr><td>▲</td><td>○</td></tr>
</table>

A

<table>
<tr><td colspan="2">★ ●</td><td colspan="2">★ ●</td></tr>
<tr><td colspan="2">♥ ⇧</td><td colspan="2">◀ ⇨</td></tr>
</table>

<table>
<tr><td>♥</td><td>□</td></tr>
<tr><td>△</td><td>○</td></tr>
</table>

<table>
<tr><td>♥</td><td>□</td></tr>
<tr><td>▽</td><td>○</td></tr>
</table>

B

<table>
<tr><td></td><td>○</td></tr>
<tr><td>▽</td><td>■</td></tr>
</table>

A　　　　B　　　　　　A　　　　B

①
<table><tr><td>♡</td><td>○</td></tr><tr><td>▷</td><td>■</td></tr></table>
<table><tr><td>♡</td><td>○</td></tr><tr><td>△</td><td>■</td></tr></table>

②
<table><tr><td>♥</td><td>○</td></tr><tr><td>△</td><td>□</td></tr></table>
<table><tr><td>♥</td><td>○</td></tr><tr><td>□</td><td>△</td></tr></table>

③
<table><tr><td>♥</td><td>○</td></tr><tr><td>▷</td><td>□</td></tr></table>
<table><tr><td>♥</td><td>○</td></tr><tr><td>▽</td><td>■</td></tr></table>

④
<table><tr><td>♡</td><td>○</td></tr><tr><td>▶</td><td>■</td></tr></table>
<table><tr><td>♥</td><td>○</td></tr><tr><td>▷</td><td>■</td></tr></table>

⑤
<table><tr><td>○</td><td>△</td></tr><tr><td>□</td><td>♡</td></tr></table>
<table><tr><td>●</td><td>△</td></tr><tr><td>□</td><td>♥</td></tr></table>

Tip

세로규칙 : 1열의 색 반전

가로규칙 : 2행의 도형을 오른쪽으로 90° 회전

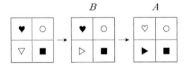

17

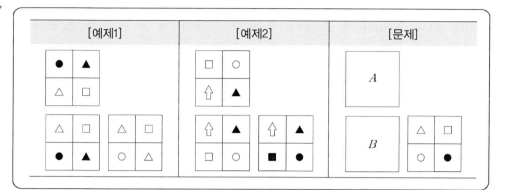

A	B	A	B

① (A) □ △ / ○ ● (B) △ □ / ○ ●

② (A) ● ○ / △ □ (B) △ □ / ● ○

③ (A) △ □ / ○ ● (B) △ ■ / □ ●

④ (A) □ ○ / △ ● (B) ○ □ / △ ▲

⑤ (A) ○ □ / ● △ (B) □ △ / ▲ ○

Tip 세로규칙 : 1행과 2행 바꿈
가로규칙 : 2행의 색 반전

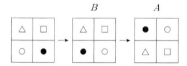

18

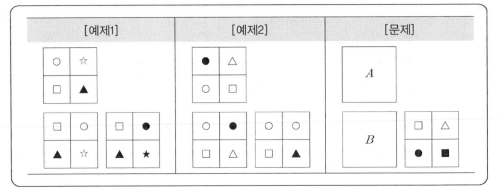

A   B   A   B

①   ②   ③   ④   ⑤

(Tip) 세로규칙 : 시계 방향으로 한 칸씩 이동

가로규칙 : 2열의 색 반전

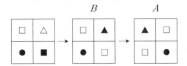

19

[예제1]	[예제2]	[문제]

[예제1]

○	△
□	♡

●	△		●	△
■	♡		□	♥

[예제2]

♡	□
△	●

♥	□		♥	□
▲	●		△	○

[문제]

A

B		♡	♡
		■	▲

A   B   A   B

①
A: ♥ ♥ / □ △   B: ♡ ♥ / □ △

②
A: ♡ ♥ / □ ▲   B: ♡ ♡ / ■ ▲

③
A: ♥ ♡ / ■ △   B: ♥ ♥ / □ △

④
A: ♡ ♥ / □ ▲   B: ♡ ♡ / □ △

⑤
A: ♥ ♡ / ■ △   B: ♡ ♡ / □ △

(Tip) 세로규칙 : 1열의 색 반전
가로규칙 : 2행의 색 반전

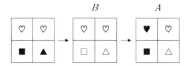

             B   A

20

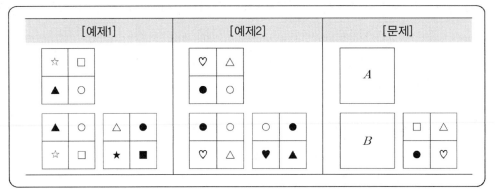

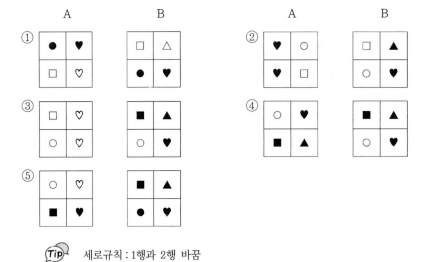

▌21~30▐ 제시된 점이 다음과 같은 규칙에 의하여 이동한다고 한다. 점은 기본적으로 오른쪽으로 움직이며 궤적을 남긴다고 할 때, 점이 남긴 궤적으로 옳은 것을 고르시오.

○ 궤적이 굵어진다.
× 궤적이 가늘어진다.
→ 궤적의 방향을 나타낸다.
| 제시된 기준의 방향으로 대칭한다.

21

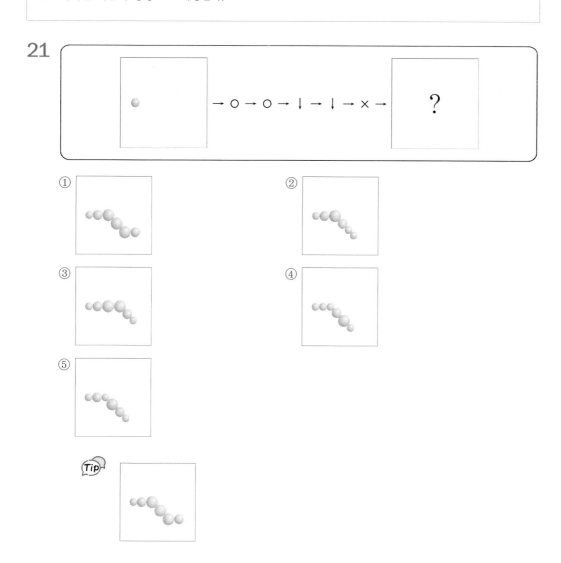

Answer↱→ 20.④ 21.①

22

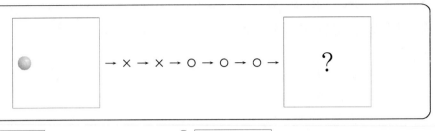

①

②

③

④

⑤

23

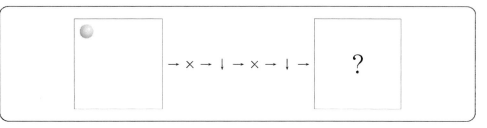

①

②

③

④

⑤

(Tip)

24

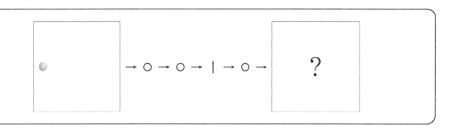

①

②

③

④

⑤

(Tip)

$\rightarrow$ | (y축대칭) $\rightarrow$

25

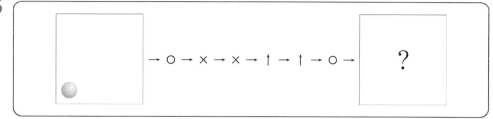

①

②

③

④

⑤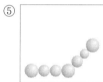

(Tip)

26

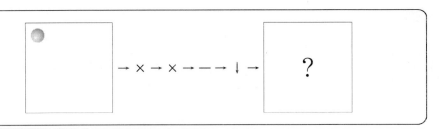

①

②

③

④

⑤

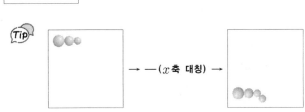

$\rightarrow$ ―(x축 대칭) $\rightarrow$

27

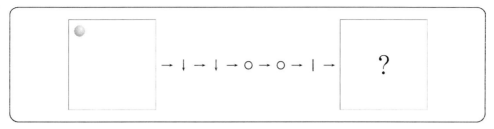

①

②

③

④

⑤

Tip

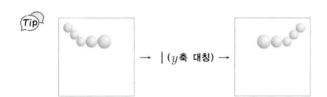

→ | (y축 대칭) →

28

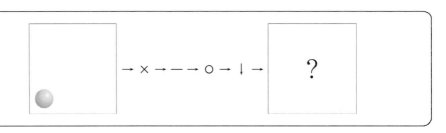

①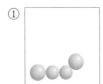

②

③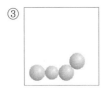

④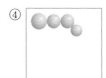

⑤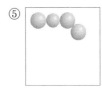

Tip

$→ —(x\,축\ 대칭)→$

29

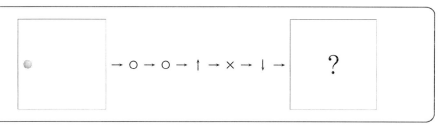

①

②

③

④

⑤

(Tip)

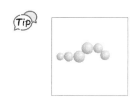

30

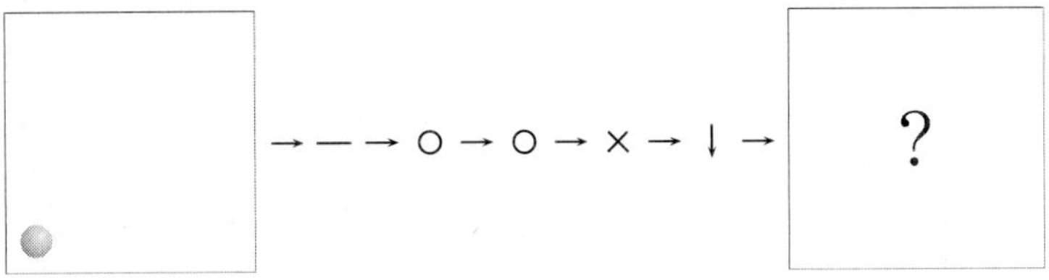

→ — → ○ → ○ → × → ↓ → [?]

①

②

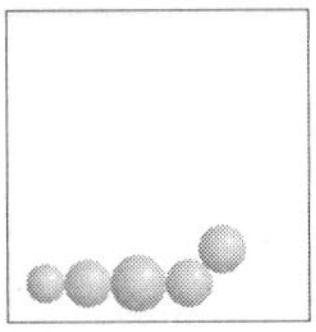

③

④

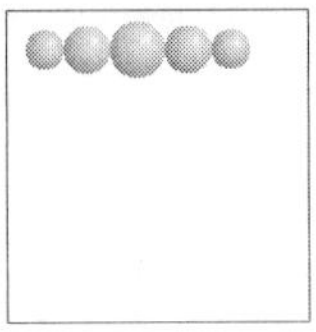

⑤

(Tip)

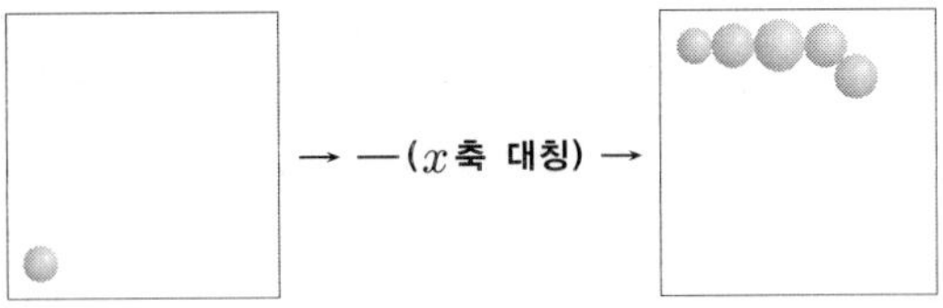

→ —(x축 대칭)→

▌31~40 ▌ 다음 주어진 예제를 보고 규칙을 찾아 ?에 들어갈 도형을 고르시오.

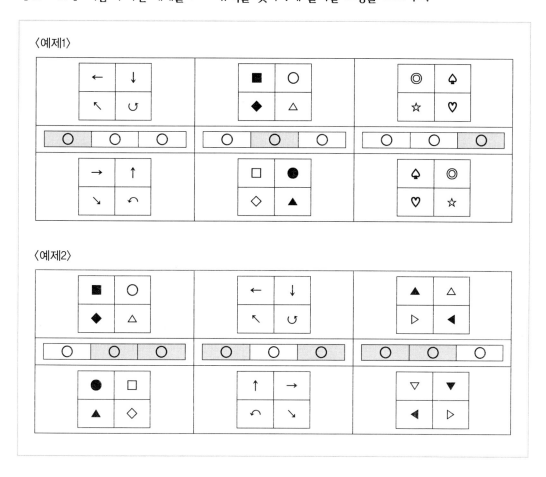

〈예제1〉

〈예제2〉

Answer ↝ 30.①

31

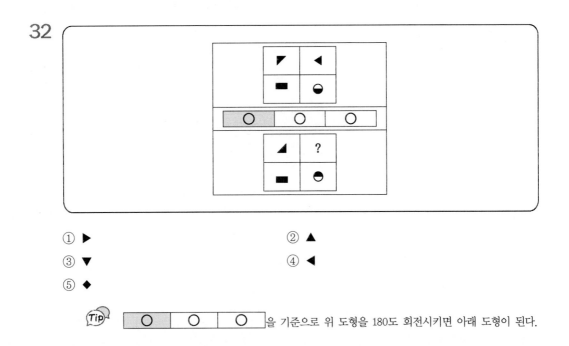

① ▷

② ◇

③ ▫

④ △

⑤ ▭

Tip ○ ○ ○ 을 기준으로 위 도형을 색 반전시키면 아래 도형이 된다.

32

① ▶

② ▲

③ ▼

④ ◀

⑤ ◆

Tip ○ ○ ○ 을 기준으로 위 도형을 180도 회전시키면 아래 도형이 된다.

33

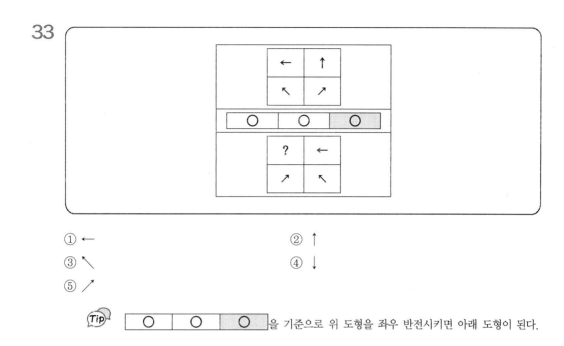

① ←　　　　　　　　　　② ↑

③ ↖　　　　　　　　　　④ ↓

⑤ ↗

(Tip) 　〇　　〇　　〇　을 기준으로 위 도형을 좌우 반전시키면 아래 도형이 된다.

34

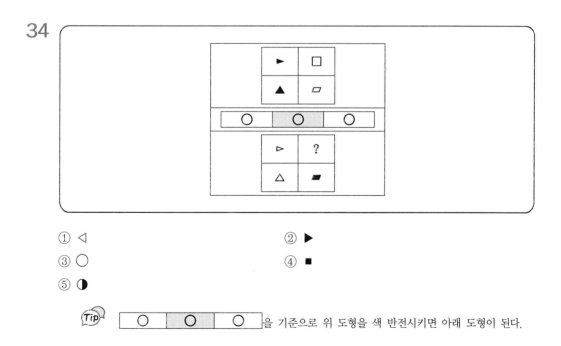

① ◁　　　　　　　　　　② ▶

③ 〇　　　　　　　　　　④ ■

⑤ ◑

(Tip) 　〇　　〇　　〇　을 기준으로 위 도형을 색 반전시키면 아래 도형이 된다.

Answer⤷　31.②　32.①　33.②　34.④

35

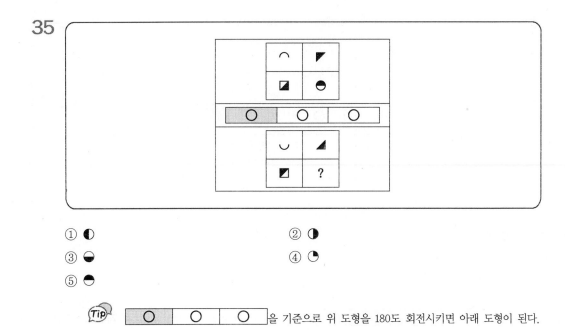

① ◐ 　　　　　　　② ◑

③ ⊖ 　　　　　　　④ ◖

⑤ ⊖

(Tip) | ○ | ○ | ○ | 을 기준으로 위 도형을 180도 회전시키면 아래 도형이 된다.

36

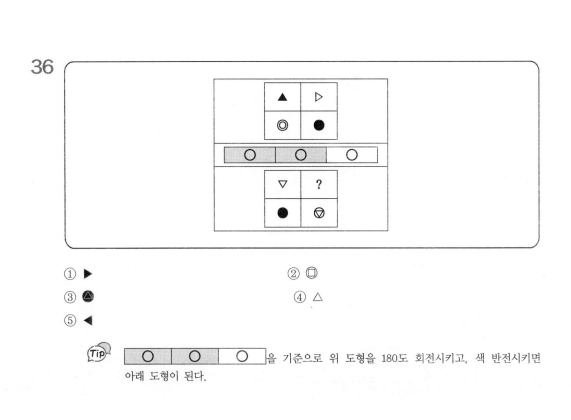

① ▶ 　　　　　　　② ▢

③ ◓ 　　　　　　　④ △

⑤ ◀

(Tip) | ○ | ○ | ○ | 을 기준으로 위 도형을 180도 회전시키고, 색 반전시키면 아래 도형이 된다.

37

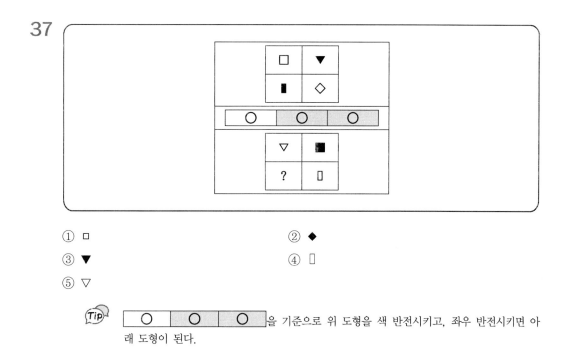

① □
② ◆
③ ▼
④ ▯
⑤ ▽

(Tip) ⬜⭕⭕⭕⬜을 기준으로 위 도형을 색 반전시키고, 좌우 반전시키면 아래 도형이 된다.

38

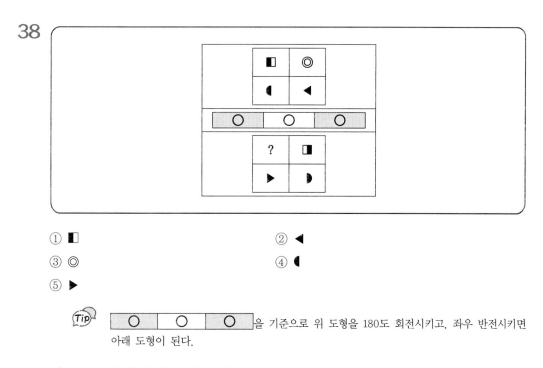

① ◧
② ◀
③ ◎
④ ◖
⑤ ▶

(Tip) ⬜⭕⭕⭕⬜을 기준으로 위 도형을 180도 회전시키고, 좌우 반전시키면 아래 도형이 된다.

Answer ➡ 35.③ 36.⑤ 37.② 38.③

39

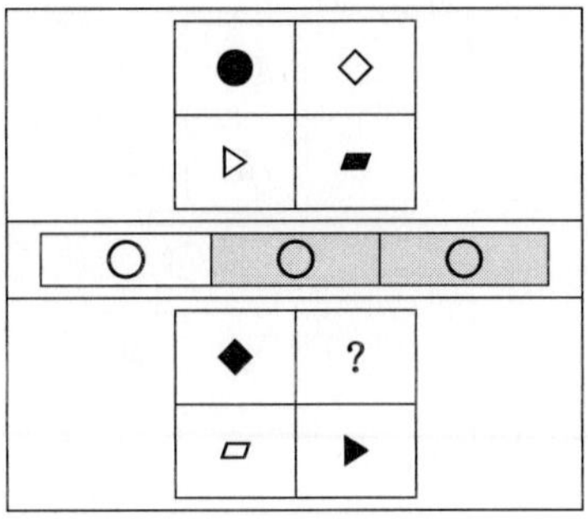

① ▰
② ▷
③ ●
④ ◇
⑤ ○

(Tip) ☐○☐○☐○☐ 을 기준으로 위 도형을 색 반전시키고, 좌우 반전시키면 아래 도형이 된다.

40

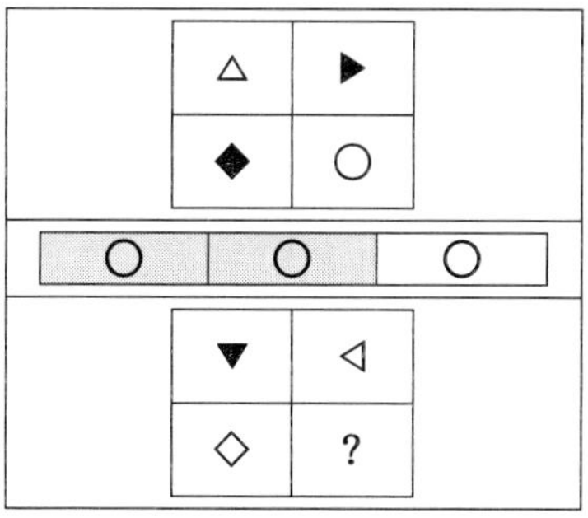

△	▶
◆	○

○	○	○

▼	◁
◇	?

① ▶   ② ○

③ ◇   ④ ●

⑤ △

(Tip) | ○ | ○ | ○ | 을 기준으로 위 도형을 180도 회전시키고, 색 반전시키면 아래 도형이 된다.

1~10 다음 〈규칙〉과 〈예제〉를 보고 결과로 옳은 것을 고르시오.

〈규칙〉

(시 다음은 낮은 도로 내려간다)

♩ 한박자   ♯ 3을 더한다

♪ 반박자   ♭ 1을 뺀다

♫ 반의반박자   ♮ 박자를 반으로 쪼갠다

　　　 𝄽 박자를 두배로 올린다

〈예제〉

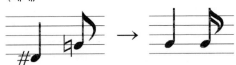

ad)   2(레)+3 → 5(솔) / $\frac{1}{2}$(♪) × $\frac{1}{2}$ → $\frac{1}{4}$(♫)

1

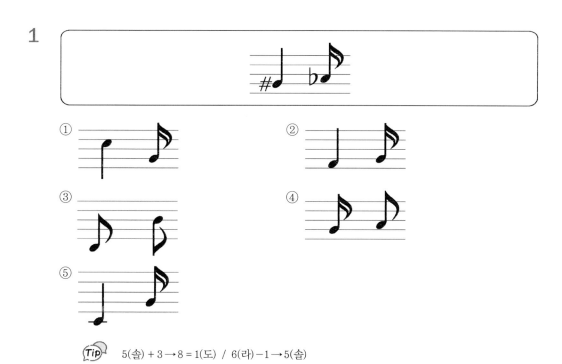

(Tip)   5(솔) + 3 → 8 = 1(도) / 6(라) − 1 → 5(솔)

2

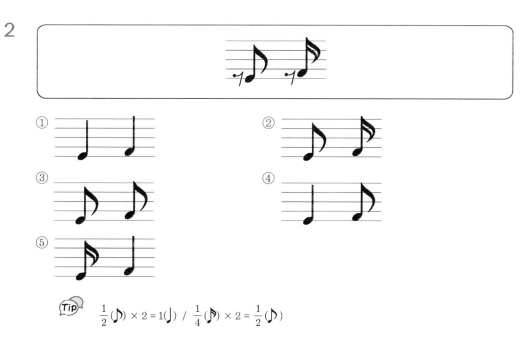

(Tip) $\frac{1}{2}$ (♪) × 2 = 1(♩) / $\frac{1}{4}$ (♪) × 2 = $\frac{1}{2}$ (♪)

Answer⌐→ 1.⑤ 2.④

3

① 　　②

③ 　　④

⑤

Tip　$\frac{1}{4}$ (♪) × 2 = $\frac{1}{2}$ (♩) / 7(시) + 3 = 10 = 8(= 1) + 2 = 3(미)

4

① 　　②

③ 　　④

⑤

Tip　4(파) + 3 = 7(시) / 1(도) + 3 = 4(파)

5

① 　　②

③ 　　④

⑤

 $2(\text{레}) + 3 = 5(\text{솔}) \ / \ \dfrac{1}{2}(\text{♪}) \times \dfrac{1}{2} = \dfrac{1}{4}(\text{♪})$

6

① 　　②

③ 　　④

⑤

$\dfrac{1}{2}(\text{♪}) \times \dfrac{1}{2} = \dfrac{1}{4}(\text{♪}) \ / \ \dfrac{1}{4}(\text{♪}) \times 2 = \dfrac{1}{2}(\text{♪})$

Answer → 3.③ 4.① 5.⑤ 6.①

7

① 　②

③ 　④

⑤

 $\frac{1}{2}$ (♪) $\times \frac{1}{2} = \frac{1}{4}$ (♪) / 6 + 3 = 9 = 8(=1) +1 = 2(레)

8

① 　②

③ 　④

⑤

Tip $\frac{1}{2}$ (♪) $\times 2 = 1$(♩) / $\frac{1}{2}$ (♪) $\times 2 = 1$(♩)

9

(Tip) 5(솔) − 1 = 4(파) / 3(미) + 3 = 6(라)

10

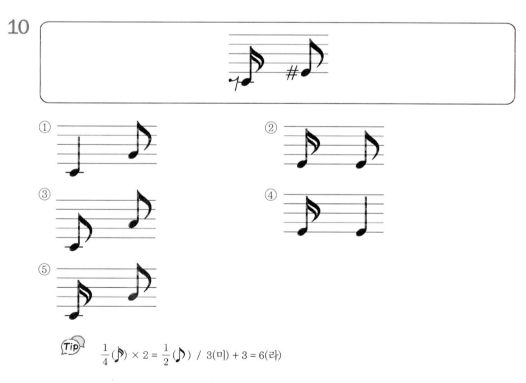

(Tip) $\frac{1}{4}$ (♪) × 2 = $\frac{1}{2}$ (♩) / 3(미) + 3 = 6(라)

Answer 7.② 8.① 9.④ 10.③

│11~20│ 다음 주어진 조건에 따라 변환했을 때, '?'에 들어갈 알맞은 수를 구하시오.

	표시한 자리에 있는 문자 위치 바꾸기
	홀수끼리만 묶어서 시계방향으로 세 칸 이동
	음영의 위치를 시계방향으로 세 칸 이동
	색칠한 칸에 있는 문자를 수로 바꾸어 더하기
	색칠한 칸에 있는 문자를 수로 바꾸어 곱하기
	순서도 결과 값이 해당 수보다 큰지 판단하기
	순서도 결과 값이 해당 수보다 작은지 판단하기

A	B	C	D	E	F	G	H	I	J	K	L	M	N	O	P	Q	R	S	T	U	V	W	X	Y	Z
1	2	3	4	5	6	7	8	9	10	11	12	13	14	15	16	17	18	19	20	21	22	23	24	25	26

11

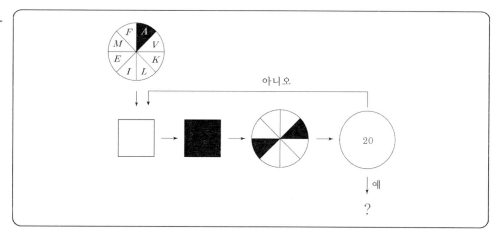

① 20

② 21

③ 22

④ 23

⑤ 24

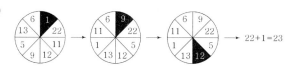

22+1=23

12

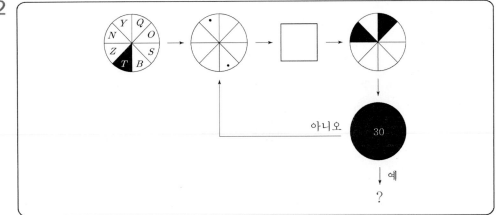

① 29

② 30

③ 31

④ 32

⑤ 33

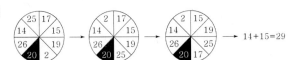

14+15=29

13

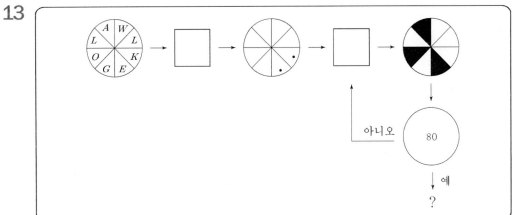

① 88

② 100

③ 525

④ 725

⑤ 825

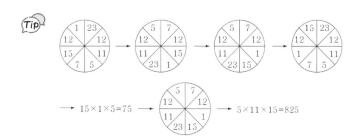

14

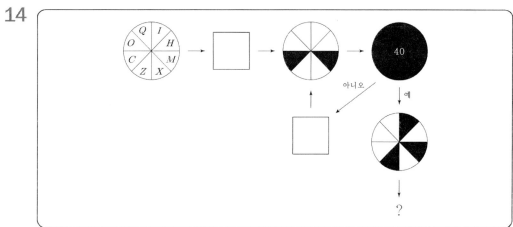

① 1000　　　　　　② 1100

③ 1150　　　　　　④ 1170

⑤ 1200

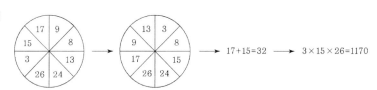

15

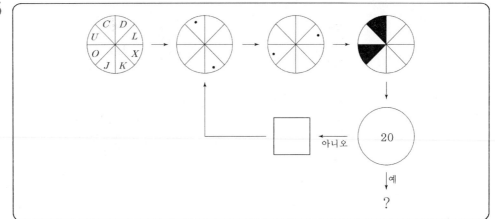

① 20
② 21
③ 22
④ 23
⑤ 24

 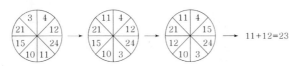 → 11+12=23

16

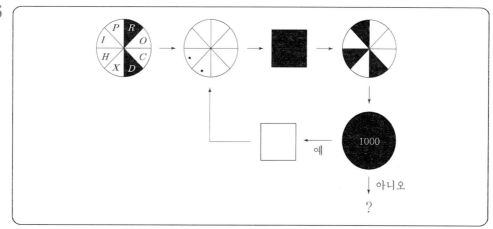

① 1342

② 1456

③ 1536

④ 1753

⑤ 2012

(Tip)

$16 \times 24 \times 4 = 1536$

17

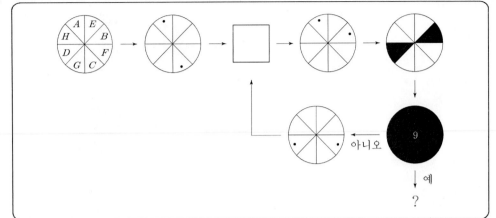

① 4

② 5

③ 6

④ 7

⑤ 8

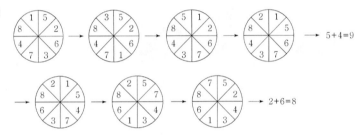

18

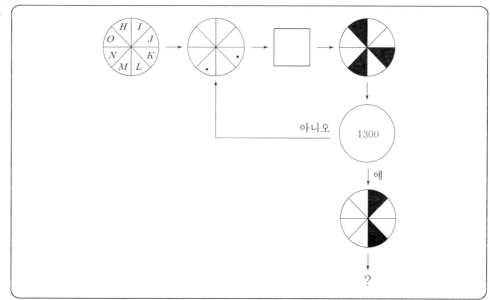

① 20

② 25

③ 30

④ 35

⑤ 40

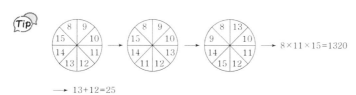

→ 13+12=25

19

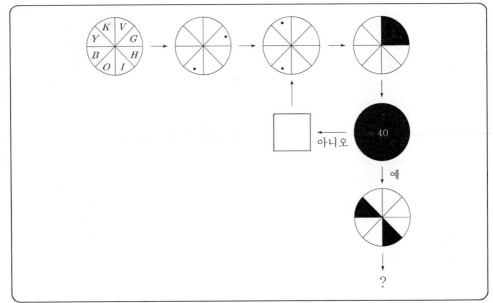

① 30   ② 31

③ 32   ④ 33

⑤ 34

Tip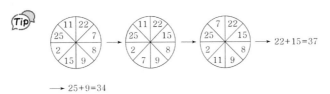

⟶ 25+9=34

20

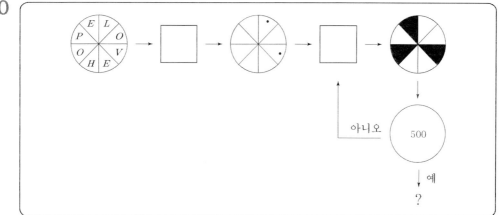

① 600   ② 700

③ 800   ④ 900

⑤ 1000

 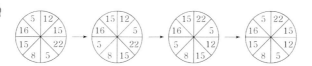

▎21~30 ▎ 다음 제시된 도형의 규칙이 다음과 같을 때, 규칙을 적용한 결과로 알맞은 것을 고르시오.

[규칙1] 1열과 3열의 도형 위치를 바꾼다.

[규칙2] 각 도형을 시계방향으로 90˚ 회전시킨다.

[규칙3] 각 도형의 색을 반전한다.

[규칙4] 2행과 3행의 도형 위치를 바꾼다.

[규칙5] 각 도형을 좌우대칭한다.

21

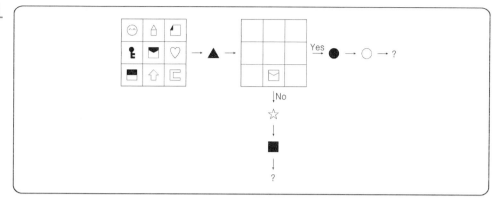

①

②

③

④

⑤

Tip
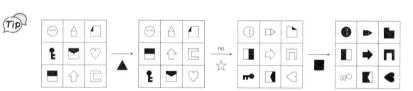

Answer ➔ 21.⑤

22

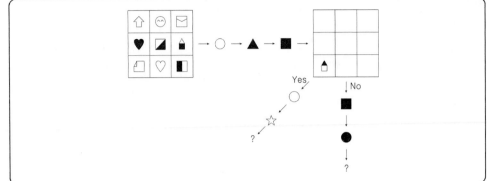

①

②

③

④

⑤

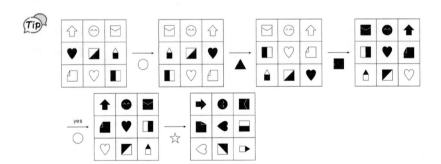

23

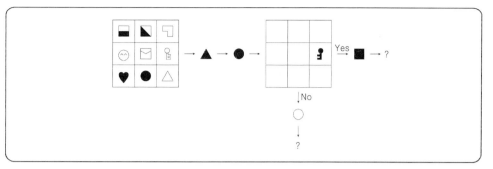

①

②

③

④

⑤

(Tip)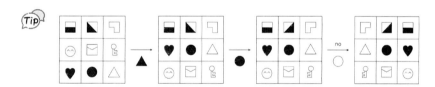

Answer ↪ 22.③ 23.②

24

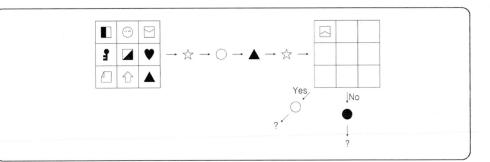

①

②

③

④

⑤

Tip

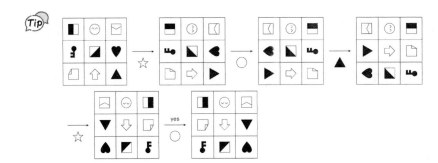

25

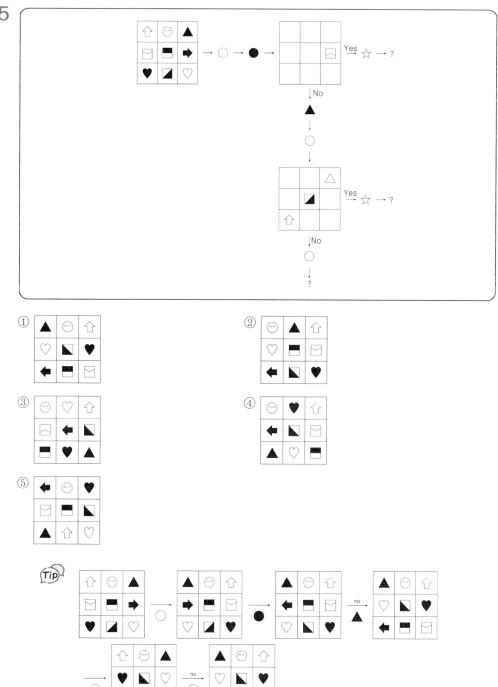

① ② ③ ④ ⑤

28

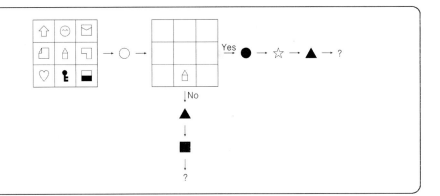

①

②

③

④

⑤

(Tip)

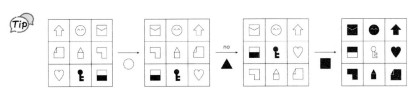

29

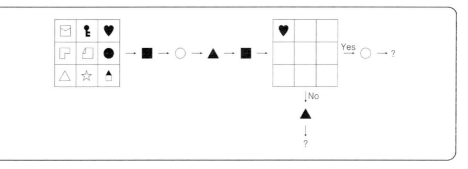

①

②

③

④

⑤

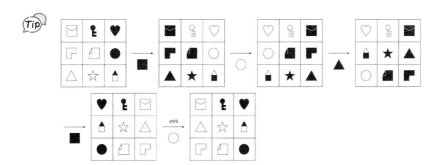

Answer 28.② 29.①

30

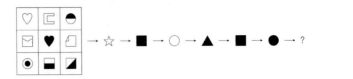

①

②

③

④

⑤

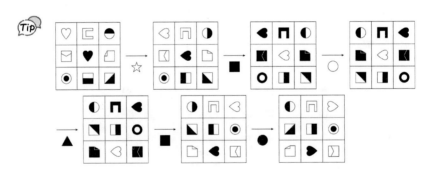

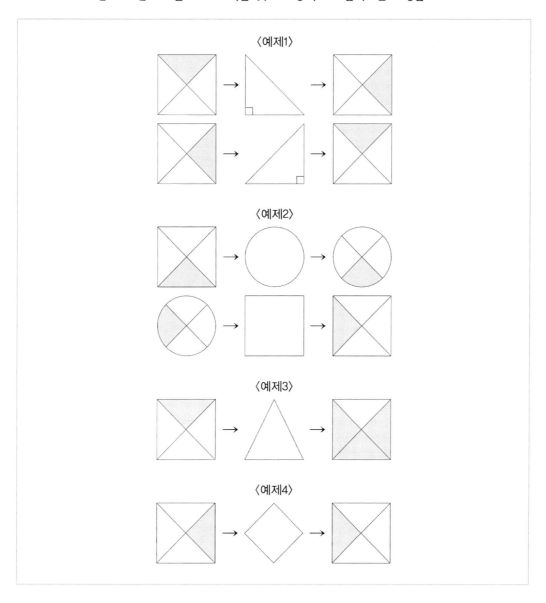

〈예제1〉

〈예제2〉

〈예제3〉

〈예제4〉

31

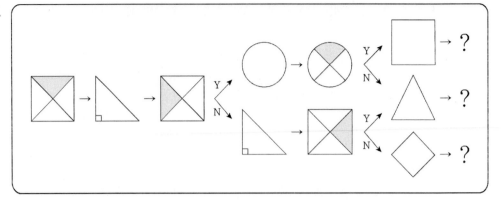

①

②

③

④

⑤

Tip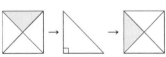

32

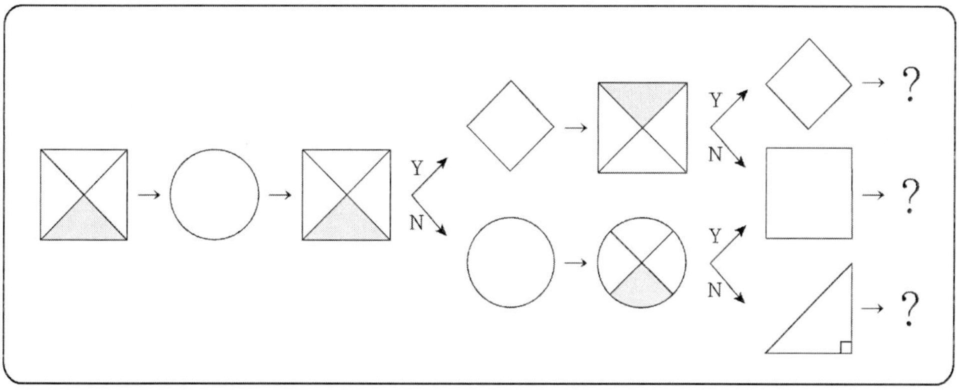

① 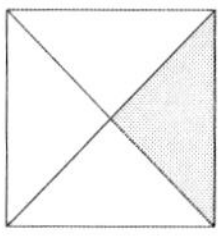

② 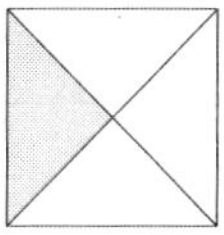

③ 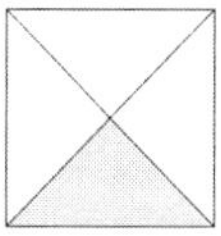

④ 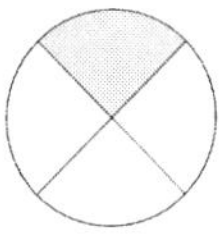

⑤ 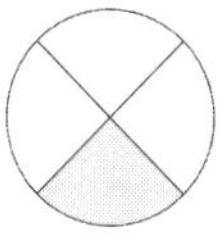

Tip

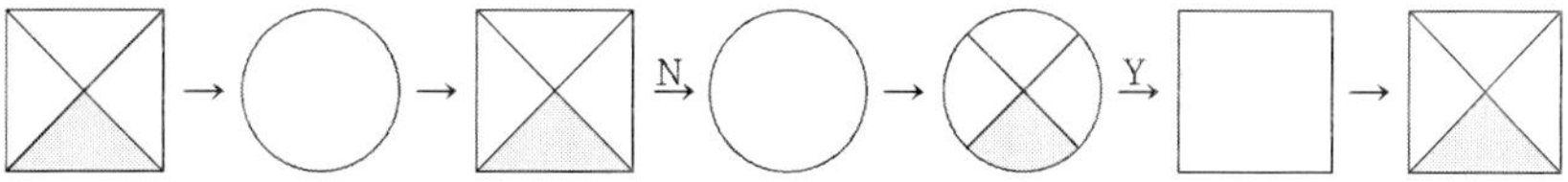

Answer 31.① 32.③

33

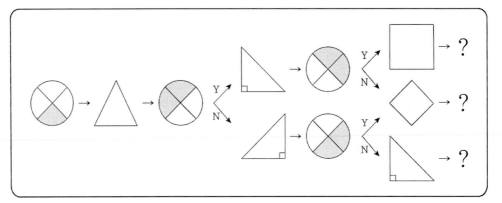

①   ②

③   ④

⑤

Tip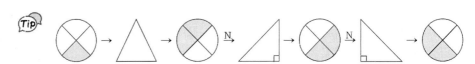

34

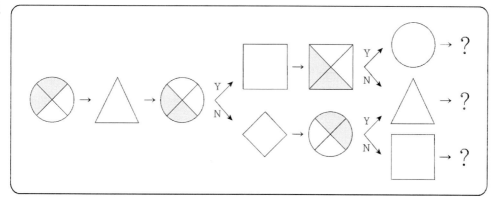

①

②

③

④

⑤

 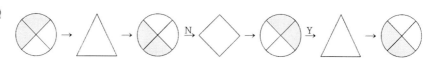

35

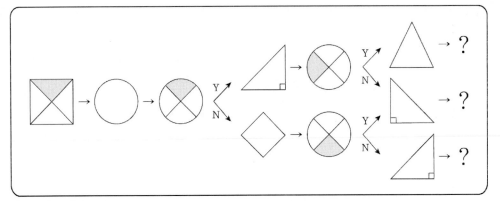

①

②

③

④

⑤

Tip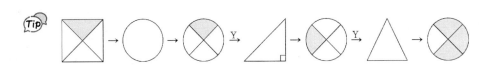

36

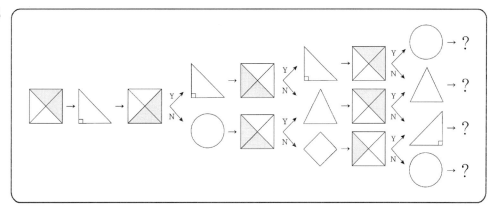

①

②

③

④

⑤

Tip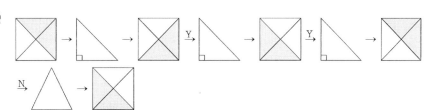

37

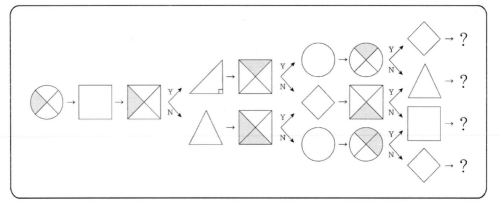

①

②

③

④

⑤

Tip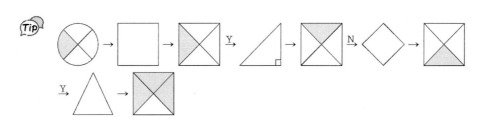

38

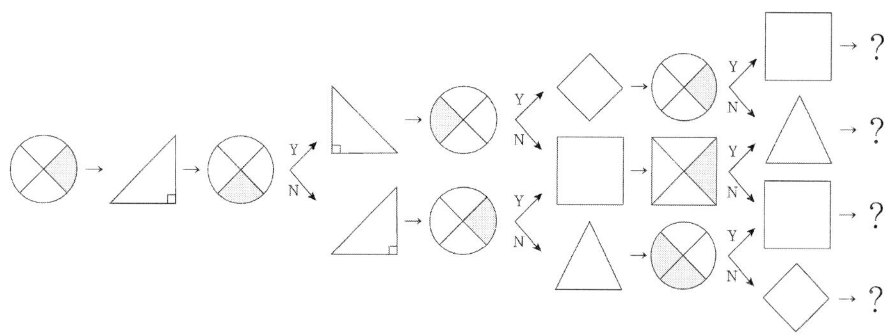

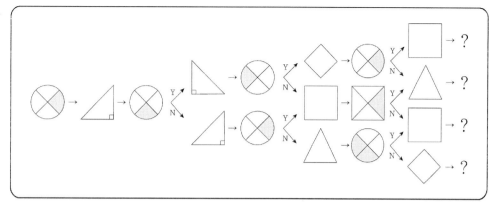

①

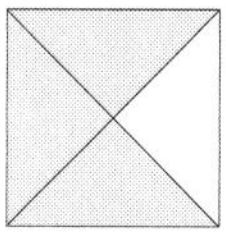

②

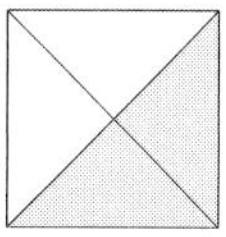

③

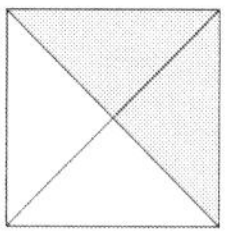

④

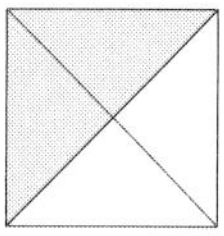

⑤

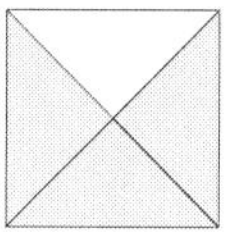

Tip

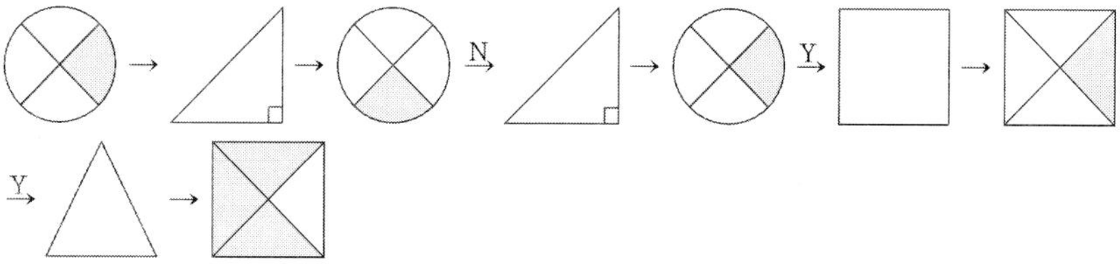

Answer 37.② 38.①

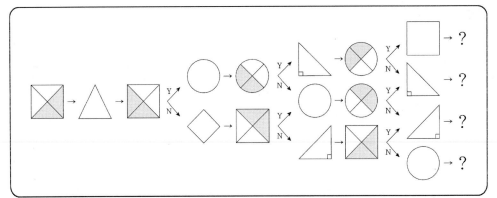

Tip

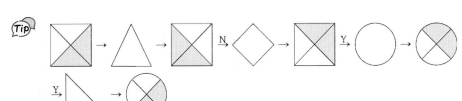

40

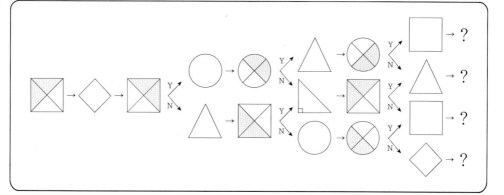

①

②

③

④

⑤

(Tip)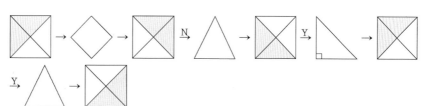

Answer → 39.② 40.①

PART

IV

면접

01 면접의 기본

1 면접 준비

(1) 면접의 기본 원칙

① **면접의 의미** … 면접이란 다양한 면접기법을 활용하여 지원한 직무에 필요한 능력을 지원자가 보유하고 있는지를 확인하는 절차라고 할 수 있다. 즉, 지원자의 입장에서는 채용 직무수행에 필요한 요건들과 관련하여 자신의 환경, 경험, 관심사, 성취 등에 대해 기업에 직접 어필할 수 있는 기회를 제공받는 것이며, 기업의 입장에서는 서류전형만으로 알 수 없는 지원자에 대한 정보를 직접적으로 수집하고 평가하는 것이다.

② **면접의 특징** … 면접은 기업의 입장에서 서류전형이나 필기전형에서 드러나지 않는 지원자의 능력이나 성향을 볼 수 있는 기회로, 면대면으로 이루어지며 즉흥적인 질문들이 포함될 수 있기 때문에 지원자가 완벽하게 준비하기 어려운 부분이 있다. 하지만 지원자 입장에서도 서류전형이나 필기전형에서 모두 보여주지 못한 자신의 능력 등을 기업의 인사담당자에게 어필할 수 있는 추가적인 기회가 될 수도 있다.

[서류 · 필기전형과 차별화되는 면접의 특징]

- 직무수행과 관련된 다양한 지원자 행동에 대한 관찰이 가능하다.
- 면접관이 알고자 하는 정보를 심층적으로 파악할 수 있다.
- 서류상의 미비한 사항과 의심스러운 부분을 확인할 수 있다.
- 커뮤니케이션 능력, 대인관계 능력 등 행동 · 언어적 정보도 얻을 수 있다.

③ **면접의 유형**

㉠ **구조화 면접** : 구조화 면접은 사전에 계획을 세워 질문의 내용과 방법, 지원자의 답변 유형에 따른 추가 질문과 그에 대한 평가 역량이 정해져 있는 면접 방식으로 표준화 면접이라고도 한다.

- 표준화된 질문이나 평가요소가 면접 전 확정되며, 지원자는 편성된 조나 면접관에 영향을 받지 않고 동일한 질문과 시간을 부여받을 수 있다.

- 조직 또는 직무별로 주요하게 도출된 역량을 기반으로 평가요소가 구성되어, 조직 또는 직무에서 필요한 역량을 가진 지원자를 선발할 수 있다.
- 표준화된 형식을 사용하는 특성 때문에 비구조화 면접에 비해 신뢰성과 타당성, 객관성이 높다.

    ⓒ 비구조화 면접 : 비구조화 면접은 면접 계획을 세울 때 면접 목적만을 명시하고 내용이나 방법은 면접관에게 전적으로 일임하는 방식으로 비표준화 면접이라고도 한다.
- 표준화된 질문이나 평가요소 없이 면접이 진행되며, 편성된 조나 면접관에 따라 지원자에게 주어지는 질문이나 시간이 다르다.
- 면접관의 주관적인 판단에 따라 평가가 이루어져 평가 오류가 빈번히 일어난다.
- 상황 대처나 언변이 뛰어난 지원자에게 유리한 면접이 될 수 있다.

④ 경쟁력 있는 면접 요령

    ㉠ 면접 전에 준비하고 유념할 사항
- 예상 질문과 답변을 미리 작성한다.
- 작성한 내용을 문장으로 외우지 않고 키워드로 기억한다.
- 지원한 회사의 최근 기사를 검색하여 기억한다.
- 지원한 회사가 속한 산업군의 최근 기사를 검색하여 기억한다.
- 면접 전 1주일간 이슈가 되는 뉴스를 기억하고 자신의 생각을 반영하여 정리한다.
- 찬반토론에 대비한 주제를 목록으로 정리하여 자신의 논리를 내세운 예상답변을 작성한다.

    ㉡ 면접장에서 유념할 사항
- 질문의 의도 파악 : 답변을 할 때에는 질문 의도를 파악하고 그에 충실한 답변이 될 수 있도록 질문사항을 유념해야 한다. 많은 지원자가 하는 실수 중 하나로 답변을 하는 도중 자기 말에 심취되어 질문의 의도와 다른 답변을 하거나 자신이 알고 있는 지식만을 나열하는 경우가 있는데, 이럴 경우 의사소통능력이 부족한 사람으로 인식될 수 있으므로 주의하도록 한다.
- 답변은 두괄식 : 답변을 할 때에는 두괄식으로 결론을 먼저 말하고 그 이유를 설명하는 것이 좋다. 미괄식으로 답변을 할 경우 용두사미의 답변이 될 가능성이 높으며, 결론을 이끌어 내는 과정에서 논리성이 결여될 우려가 있다. 또한 면접관이 결론을 듣기 전에 말을 끊고 다른 질문을 추가하는 예상치 못한 상황이 발생될 수 있으므로 답변은 자신이 전달하고자 하는 바를 먼저 밝히고 그에 대한 설명을 하는 것이 좋다.

• 지원한 회사의 기업정신과 인재상을 기억 : 답변을 할 때에는 회사가 원하는 인재라는 인상을 심어주기 위해 지원한 회사의 기업정신과 인재상 등을 염두에 두고 답변을 하는 것이 좋다. 모든 회사에 해당되는 두루뭉술한 답변보다는 지원한 회사에 맞는 맞춤형 답변을 하는 것이 좋다.

• 나보다는 회사와 사회적 관점에서 답변 : 답변을 할 때에는 자기중심적인 관점을 피하고 좀 더 넓은 시각으로 회사와 국가, 사회적 입장까지 고려하는 인재임을 어필하는 것이 좋다. 자기중심적 시각을 바탕으로 자신의 출세만을 위해 회사에 입사하려는 인상을 심어줄 경우 면접에서 불이익을 받을 가능성이 높다.

• 난처한 질문은 정직한 답변 : 난처한 질문에 답변을 해야 할 때에는 피하기보다는 정면 돌파로 정직하고 솔직하게 답변하는 것이 좋다. 난처한 부분을 감추고 드러내지 않으려 회피하려는 지원자의 모습은 인사담당자에게 입사 후에도 비슷한 상황에 처했을 때 회피할 수도 있다는 우려를 심어줄 수 있다. 따라서 직장생활에 있어 중요한 덕목 중 하나인 정직을 바탕으로 솔직하게 답변을 하도록 한다.

(2) 면접의 종류 및 준비 전략

① 인성면접

㉠ 면접 방식 및 판단기준

• 면접 방식 : 인성면접은 면접관이 가지고 있는 개인적 면접 노하우나 관심사에 의해 질문을 실시한다. 주로 입사지원서나 자기소개서의 내용을 토대로 지원동기, 과거의 경험, 미래 포부 등을 이야기하도록 하는 방식이다.

• 판단기준 : 면접관의 개인적 가치관과 경험, 해당 역량의 수준, 경험의 구체성·진실성 등

㉡ 특징 : 인성면접은 그 방식으로 인해 역량과 무관한 질문들이 많고 지원자에게 주어지는 면접질문, 시간 등이 다를 수 있다. 또한 입사지원서나 자기소개서의 내용을 토대로 하기 때문에 지원자별 질문이 달라질 수 있다.

ⓒ 예시 문항 및 준비전략

• 예시 문항

> • 3분 동안 자기소개를 해 보십시오.
> • 자신의 장점과 단점을 말해 보십시오.
> • 학점이 좋지 않은데 그 이유가 무엇입니까?
> • 최근에 인상 깊게 읽은 책은 무엇입니까?
> • 회사를 선택할 때 중요시하는 것은 무엇입니까?
> • 일과 개인생활 중 어느 쪽을 중시합니까?
> • 10년 후 자신은 어떤 모습일 것이라고 생각합니까?
> • 휴학 기간 동안에는 무엇을 했습니까?

• 준비전략 : 인성면접은 입사지원서나 자기소개서의 내용을 바탕으로 하는 경우가 많으므로 자신이 작성한 입사지원서와 자기소개서의 내용을 충분히 숙지하도록 한다. 또한 최근 사회적으로 이슈가 되고 있는 뉴스에 대한 견해를 묻거나 시사상식 등에 대한 질문을 받을 수 있으므로 이에 대한 대비도 필요하다. 자칫 부담스러워 보이지 않는 질문으로 가볍게 대답하지 않도록 주의하고 모든 질문에 입사 의지를 담아 성실하게 답변하는 것이 중요하다.

② 발표면접

ⓐ 면접 방식 및 판단기준

• 면접 방식 : 지원자가 특정 주제와 관련된 자료를 검토하고 그에 대한 자신의 생각을 면접관 앞에서 주어진 시간 동안 발표하고 추가 질의를 받는 방식으로 진행된다.

• 판단기준 : 지원자의 사고력, 논리력, 문제해결력 등

ⓑ 특징 : 발표면접은 지원자에게 과제를 부여한 후, 과제를 수행하는 과정과 결과를 관찰·평가한다. 따라서 과제수행 결과뿐 아니라 수행과정에서의 행동을 모두 평가할 수 있다.

ⓒ 예시 문항 및 준비전략

• 예시 문항

[신입사원 조기 이직 문제]

※ 지원자는 아래에 제시된 자료를 검토한 뒤, 신입사원 조기 이직의 원인을 크게 3가지로 정리하고 이에 대한 구체적인 개선안을 도출하여 발표해 주시기 바랍니다.

※ 본 과제에 정해진 정답은 없으나 논리적 근거를 들어 개선안을 작성해 주십시오.

• A기업은 동종업계 유사기업들과 비교해 볼 때, 비교적 높은 재무안정성을 유지하고 있으며 업무강도가 그리 높지 않은 것으로 외부에 알려져 있음.
• 최근 조사결과, 동종업계 유사기업들과 연봉을 비교해 보았을 때 연봉 수준도 그리 나쁘지 않은 편이라는 것이 확인되었음.
• 그러나 지난 3년간 1~2년차 직원들의 이직률이 계속해서 증가하고 있는 추세이며, 경영진 회의에서 최우선 해결과제 중 하나로 거론되었음.
• 이에 따라 인사팀에서 현재 1~2년차 사원들을 대상으로 개선되어야 하는 A기업의 조직문화에 대한 설문조사를 실시한 결과, '상명하복식의 의사소통'이 36.7%로 1위를 차지했음.
• 이러한 설문조사와 함께, 신입사원 조기 이직에 대한 원인을 분석한 결과 파랑새 증후군, 셀프홀릭 증후군, 피터팬 증후군 등 3가지로 분류할 수 있었음.

〈동종업계 유사기업들과의 연봉 비교〉   〈우리 회사 조직문화 중 개선되었으면 하는 것〉

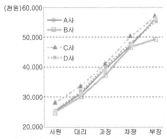
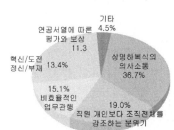

〈신입사원 조기 이직의 원인〉

• 파랑새 증후군
–현재의 직장보다 더 좋은 직장이 있을 것이라는 막연한 기대감으로 끊임없이 새로운 직장을 탐색함.
–학력 수준과 맞지 않는 '하향지원', 전공과 적성을 고려하지 않고 일단 취업하고 보자는 '묻지마 지원'이 파랑새 증후군을 초래함.
• 셀프홀릭 증후군
–본인의 역량에 비해 가치가 낮은 일을 주로 하면서 갈등을 느낌.
• 피터팬 증후군
–기성세대의 문화를 무조건 수용하기보다는 자유로움과 변화를 추구함.
–상명하복, 엄격한 규율 등 기성세대가 당연시하는 관행에 거부감을 가지며 직장에 답답함을 느낌.

- 준비전략 : 발표면접의 시작은 과제 안내문과 과제 상황, 과제 자료 등을 정확하게 이해하는 것에서 출발한다. 과제 안내문을 침착하게 읽고 제시된 주제 및 문제와 관련된 상황의 맥락을 파악한 후 과제를 검토한다. 제시된 기사나 그래프 등을 충분히 활용하여 주어진 문제를 해결할 수 있는 해결책이나 대안을 제시하며, 발표를 할 때에는 명확하고 자신 있는 태도로 전달할 수 있도록 한다.

③ 토론면접

㉠ 면접 방식 및 판단기준

- 면접 방식 : 상호갈등적 요소를 가진 과제 또는 공통의 과제를 해결하는 내용의 토론 과제를 제시하고, 그 과정에서 개인 간의 상호작용 행동을 관찰하는 방식으로 면접이 진행된다.
- 판단기준 : 팀워크, 적극성, 갈등 조정, 의사소통능력, 문제해결능력 등

㉡ 특징 : 토론을 통해 도출해 낸 최종안의 타당성도 중요하지만, 결론을 도출해 내는 과정에서의 의사소통능력이나 갈등상황에서 의견을 조정하는 능력 등이 중요하게 평가되는 특징이 있다.

㉢ 예시 문항 및 준비전략

- 예시 문항

> - 군 가산점제 부활에 대한 찬반토론
> - 담뱃값 인상에 대한 찬반토론
> - 비정규직 철폐에 대한 찬반토론
> - 대학의 영어 강의 확대 찬반토론
> - 워크숍 장소 선정을 위한 토론

- 준비전략 : 토론면접은 무엇보다 팀워크와 적극성이 강조된다. 따라서 토론과정에 적극적으로 참여하며 자신의 의사를 분명하게 전달하며, 갈등상황에서 자신의 의견만 내세울 것이 아니라 다른 지원자의 의견을 경청하고 배려하는 모습도 중요하다. 갈등상황을 일목요연하게 정리하여 조정하는 등의 의사소통능력을 발휘하는 것도 좋은 전략이 될 수 있다.

④ 상황면접

㉠ 면접 방식 및 판단기준

- 면접 방식 : 상황면접은 직무 수행 시 접할 수 있는 상황들을 제시하고, 그러한 상황에서 어떻게 행동할 것인지를 이야기하는 방식으로 진행된다.
- 판단기준 : 해당 상황에 적절한 역량의 구현과 구체적 행동지표

ⓛ 특징 : 실제 직무 수행 시 접할 수 있는 상황들을 제시하므로 입사 이후 지원자의 업무수행능력을 평가하는 데 적절한 면접 방식이다. 또한 지원자의 가치관, 태도, 사고 방식 등의 요소를 통합적으로 평가하는 데 용이하다.

　　ⓒ 예시 문항 및 준비전략

　　　• 예시 문항

> 당신은 생산관리팀의 팀원으로, 생산팀이 기한에 맞춰 효율적으로 제품을 생산할 수 있도록 관리하는 역할을 맡고 있습니다. 3개월 뒤에 제품A를 정상적으로 출시하기 위해 생산팀의 생산 계획을 수립한 상황입니다. 그러나 원가가 곧 실적으로 이어지는 구매팀에서는 최대한 원가를 줄여 전반적 단가를 낮추려고 원가절감을 위한 제안을 하였으나, 연구개발팀에서는 구매팀이 제안한 방식으로 제품을 생산할 경우 대부분이 구매팀의 실적으로 산정될 것이므로 제대로 확인도 해보지 않은 채 적합하지 않은 방식이라고 판단하고 있습니다. 당신은 어떻게 하겠습니까?

　　　• 준비전략 : 상황면접은 먼저 주어진 상황에서 핵심이 되는 문제가 무엇인지를 파악하는 것에서 시작한다. 주질문과 세부질문을 통하여 질문의 의도를 파악하였다면, 그에 대한 구체적인 행동이나 생각 등에 대해 응답할수록 높은 점수를 얻을 수 있다.

⑤ 역할면접

　　ⓍGeriⓝ 면접 방식 및 판단기준

　　　• 면접 방식 : 역할면접 또는 역할연기 면접은 기업 내 발생 가능한 상황에서 부딪히게 되는 문제와 역할을 가상적으로 설정하여 특정 역할을 맡은 사람과 상호작용하고 문제를 해결해 나가도록 하는 방식으로 진행된다. 역할연기 면접에서는 면접관이 직접 역할연기를 하면서 지원자를 관찰하기도 하지만, 역할연기 수행만 전문적으로 하는 사람을 투입할 수도 있다.

　　　• 판단기준 : 대처능력, 대인관계능력, 의사소통능력 등

　　ⓛ 특징 : 역할면접은 실제 상황과 유사한 가상 상황에서의 행동을 관찰함으로서 지원자의 성격이나 대처 행동 등을 관찰할 수 있다.

　　ⓒ 예시 문항 및 준비전략

　　　• 예시 문항

> [금융권 역할면접의 예]
> 당신은 ○○은행의 신입 텔러이다. 사람이 많은 월말 오전 한 할아버지(면접관 또는 역할담당자)께서 ○○은행을 사칭한 보이스피싱으로 500만 원을 피해 보았다며 소란을 일으키고 있다. 실제 업무상황이라고 생각하고 상황에 대처해 보시오.

• 준비전략 : 역할연기 면접에서 측정하는 역량은 주로 갈등의 원인이 되는 문제를 해결 하고 제시된 해결방안을 상대방에게 설득하는 것이다. 따라서 갈등해결, 문제해결, 조정 · 통합, 설득력과 같은 역량이 중요시된다. 또한 갈등을 해결하기 위해서 상대방에 대한 이해도 필수적인 요소이므로 고객 지향을 염두에 두고 상황에 맞게 대처해야 한다.
역할면접에서는 변별력을 높이기 위해 면접관이 압박적인 분위기를 조성하는 경우가 많기 때문에 스트레스 상황에서 불안해하지 않고 유연하게 대처할 수 있도록 시간과 노력을 들여 충분히 연습하는 것이 좋다.

2 면접 이미지 메이킹

(1) 성공적인 이미지 메이킹 포인트

① 복장 및 스타일

㉠ 남성

• 양복 : 양복은 단색으로 하며 넥타이나 셔츠로 포인트를 주는 것이 효과적이다. 짙은 회색이나 감청색이 가장 단정하고 품위 있는 인상을 준다.
• 셔츠 : 흰색이 가장 선호되나 자신의 피부색에 맞추는 것이 좋다. 푸른색이나 베이지색은 산뜻한 느낌을 줄 수 있다. 양복과의 배색도 고려하도록 한다.
• 넥타이 : 의상에 포인트를 줄 수 있는 아이템이지만 너무 화려한 것은 피한다. 지원자의 피부색은 물론, 정장과 셔츠의 색을 고려하며, 체격에 따라 넥타이 폭을 조절하는 것이 좋다.
• 구두 & 양말 : 구두는 검정색이나 짙은 갈색이 어느 양복에나 무난하게 어울리며 깔끔하게 닦아 준비한다. 양말은 정장과 동일한 색상이나 검정색을 착용한다.
• 헤어스타일 : 머리스타일은 단정한 느낌을 주는 짧은 헤어스타일이 좋으며 앞머리가 있다면 이마나 눈썹을 가리지 않는 선에서 정리하는 것이 좋다.

ⓛ 여성

- 의상 : 단정한 스커트 투피스 정장이나 슬랙스 슈트가 무난하다. 블랙이나 그레이, 네이비, 브라운 등 차분해 보이는 색상을 선택하는 것이 좋다.
- 소품 : 구두, 핸드백 등은 같은 계열로 코디하는 것이 좋으며 구두는 너무 화려한 디자인이나 굽이 높은 것을 피한다. 스타킹은 의상과 구두에 맞춰 단정한 것으로 선택한다.
- 액세서리 : 액세서리는 너무 크거나 화려한 것은 좋지 않으며 과하게 많이 하는 것도 좋은 인상을 주지 못한다. 착용하지 않거나 작고 깔끔한 디자인으로 포인트를 주는 정도가 적당하다.
- 메이크업 : 화장은 자연스럽고 밝은 이미지를 표현하는 것이 좋으며 진한 색조는 인상이 강해 보일 수 있으므로 피한다.
- 헤어스타일 : 커트나 단발처럼 짧은 머리는 활동적이면서도 단정한 이미지를 줄 수 있도록 정리한다. 긴 머리의 경우 하나로 묶거나 단정한 머리망으로 정리하는 것이 좋으며, 짙은 염색이나 화려한 웨이브는 피한다.

② 인사

ⓐ 인사의 의미 : 인사는 예의범절의 기본이며 상대방의 마음을 여는 기본적인 행동이라고 할 수 있다. 인사는 처음 만나는 면접관에게 호감을 살 수 있는 가장 쉬운 방법이 될 수 있기도 하지만 제대로 예의를 지키지 않으면 지원자의 인성 전반에 대한 평가로 이어질 수 있으므로 각별히 주의해야 한다.

ⓑ 인사의 핵심 포인트

- 인사말 : 인사말을 할 때에는 밝고 친근감 있는 목소리로 하며, 자신의 이름과 수험번호 등을 간략하게 소개한다.
- 시선 : 인사는 상대방의 눈을 보며 하는 것이 중요하며 너무 빤히 쳐다본다는 느낌이 들지 않도록 주의한다.
- 표정 : 인사는 마음에서 우러나오는 존경이나 반가움을 표현하고 예의를 차리는 것이므로 살짝 미소를 지으며 하는 것이 좋다.
- 자세 : 인사를 할 때에는 가볍게 목만 숙인다거나 흐트러진 상태에서 인사를 하지 않도록 주의하며 절도 있고 확실하게 하는 것이 좋다.

③ 시선처리와 표정, 목소리

　㉠ 시선처리와 표정 : 표정은 면접에서 지원자의 첫인상을 결정하는 중요한 요소이다. 얼굴표정은 사람의 감정을 가장 잘 표현할 수 있는 의사소통 도구로 표정 하나로 상대방에게 호감을 주거나, 비호감을 사기도 한다. 호감이 가는 인상의 특징은 부드러운 눈썹, 자연스러운 미간, 적당히 볼록한 광대, 올라간 입 꼬리 등으로 가볍게 미소를 지을 때의 표정과 일치한다. 따라서 면접 중에는 밝은 표정으로 미소를 지어 호감을 형성할 수 있도록 한다. 시선은 면접관과 고르게 맞추되 생기 있는 눈빛을 띄도록 하며, 너무 빤히 쳐다본다는 인상을 주지 않도록 한다.

　㉡ 목소리 : 면접은 주로 면접관과 지원자의 대화로 이루어지므로 목소리가 미치는 영향이 상당하다. 답변을 할 때에는 부드러우면서도 활기차고 생동감 있는 목소리로 하는 것이 면접관에게 호감을 줄 수 있으며 적당한 제스처가 더해진다면 상승효과를 얻을 수 있다. 그러나 적절한 답변을 하였음에도 불구하고 콧소리나 날카로운 목소리, 자신감 없는 작은 목소리는 답변의 신뢰성을 떨어뜨릴 수 있으므로 주의하도록 한다.

④ 자세

　㉠ 걷는 자세

　　• 면접장에 입실할 때에는 상체를 곧게 유지하고 발끝은 평행이 되게 하며 무릎을 스치듯 11자로 걷는다.
　　• 시선은 정면을 향하고 턱은 가볍게 당기며 어깨나 엉덩이가 흔들리지 않도록 주의한다.
　　• 발바닥 전체가 닿는 느낌으로 안정감 있게 걸으며 발소리가 나지 않도록 주의한다.
　　• 보폭은 어깨넓이만큼이 적당하지만, 스커트를 착용했을 경우 보폭을 줄인다.
　　• 걸을 때도 미소를 유지한다.

　㉡ 서있는 자세

　　• 몸 전체를 곧게 펴고 가슴을 자연스럽게 내민 후 등과 어깨에 힘을 주지 않는다.
　　• 정면을 바라본 상태에서 턱을 약간 당기고 아랫배에 힘을 주어 당기며 바르게 선다.
　　• 양 무릎과 발뒤꿈치는 붙이고 발끝은 11자 또는 V형을 취한다.
　　• 남성의 경우 팔을 자연스럽게 내리고 양손을 가볍게 쥐어 바지 옆선에 붙이고, 여성의 경우 공수자세를 유지한다.

ⓒ 앉은 자세

• 남성

> • 의자 깊숙이 앉고 등받이와 등 사이에 주먹 1개 정도의 간격을 두며 기대듯 앉지 않도록 주의한다. (남녀 공통 사항)
> • 무릎 사이에 주먹 2개 정도의 간격을 유지하고 발끝은 11자를 취한다.
> • 시선은 정면을 바라보며 턱은 가볍게 당기고 미소를 짓는다. (남녀 공통 사항)
> • 양손은 가볍게 주먹을 쥐고 무릎 위에 올려놓는다.
> • 앉고 일어날 때에는 자세가 흐트러지지 않도록 주의한다. (남녀 공통 사항)

• 여성

> • 스커트를 입었을 경우 왼손으로 뒤쪽 스커트 자락을 누르고 오른손으로 앞쪽 자락을 누르며 의자에 앉는다.
> • 무릎은 붙이고 발끝을 가지런히 하며, 다리를 왼쪽으로 비스듬히 기울이면 여성스러워 보이는 효과가 있다.
> • 양손을 모아 무릎 위에 모아 놓으며 스커트를 입었을 경우 스커트 위를 가볍게 누르듯이 올려놓는다.

(2) 면접 예절

① 행동 관련 예절

ⓐ 지각은 절대금물 : 시간을 지키는 것은 예절의 기본이다. 지각을 할 경우 면접에 응시할 수 없거나, 면접 기회가 주어지더라도 불이익을 받을 가능성이 높아진다. 따라서 면접장소가 결정되면 교통편과 소요시간을 확인하고 가능하다면 사전에 미리 방문해 보는 것도 좋다. 면접 당일에는 서둘러 출발하여 면접 시간 20~30분 전에 도착하여 회사를 둘러보고 환경에 익숙해지는 것도 성공적인 면접을 위한 요령이 될 수 있다.

ⓑ 면접 대기 시간 : 지원자들은 대부분 면접장에서의 행동과 답변 등으로만 평가를 받는다고 생각하지만 그렇지 않다. 면접관이 아닌 면접진행자 역시 대부분 인사실무자이며 면접관이 면접 후 지원자에 대한 평가에 있어 확신을 위해 면접진행자의 의견을 구한다면 면접진행자의 의견이 당락에 영향을 줄 수 있다. 따라서 면접 대기 시간에도 행동과 말을 조심해야 하며, 면접을 마치고 돌아가는 순간까지도 긴장을 늦춰서는 안 된다. 면접 중 압박적인 질문에 답변을 잘 했지만, 면접장을 나와 흐트러진 모습을 보이거나 욕설을 한다면 면접 탈락의 요인이 될 수 있으므로 주의해야 한다.

ⓒ **입실 후 태도** : 본인의 차례가 되어 호명되면 또렷하게 대답하고 들어간다. 만약 면접장 문이 닫혀 있다면 상대에게 소리가 들릴 수 있을 정도로 노크를 두세 번 한 후 대답을 듣고 나서 들어가야 한다. 문을 여닫을 때에는 소리가 나지 않게 조용히 하며 공손한 자세로 인사한 후 성명과 수험번호를 말하고 면접관의 지시에 따라 자리에 앉는다. 이 경우 착석하라는 말이 없는데 먼저 의자에 앉으면 무례한 사람으로 보일 수 있으므로 주의한다. 의자에 앉을 때에는 끝에 앉지 말고 무릎 위에 양손을 가지런히 얹는 것이 예절이라고 할 수 있다.

ⓓ **옷매무새를 자주 고치지 마라.** : 일부 지원자의 경우 옷매무새 또는 헤어스타일을 자주 고치거나 확인하기도 하는데 이러한 모습은 과도하게 긴장한 것 같아 보이거나 면접에 집중하지 못하는 것으로 보일 수 있다. 남성 지원자의 경우 넥타이를 자꾸 고쳐 맨다거나 정장 상의 끝을 너무 자주 만지작거리지 않는다. 여성 지원자는 머리를 계속 쓸어 올리지 않고, 특히 짧은 치마를 입고서 신경이 쓰여 치마를 끌어 내리는 행동은 좋지 않다.

ⓔ **다리를 떨거나 산만한 시선은 면접 탈락의 지름길** : 자신도 모르게 다리를 떨거나 손가락을 만지는 등의 행동을 하는 지원자가 있는데, 이는 면접관의 주의를 끌 뿐만 아니라 불안하고 산만한 사람이라는 느낌을 주게 된다. 따라서 가능한 한 바른 자세로 앉아 있는 것이 좋다. 또한 면접관과 시선을 맞추지 못하고 여기저기 둘러보는 듯한 산만한 시선은 지원자가 거짓말을 하고 있다고 여겨지거나 신뢰할 수 없는 사람이라고 생각될 수 있다.

② 답변 관련 예절

ⓐ **면접관이나 다른 지원자와 가치 논쟁을 하지 않는다.** : 질문을 받고 답변하는 과정에서 면접관 또는 다른 지원자의 의견과 다른 의견이 있을 수 있다. 특히 평소 지원자가 관심이 많은 문제이거나 잘 알고 있는 문제인 경우 자신과 다른 의견에 대해 이의가 있을 수 있다. 하지만 주의할 것은 면접에서 면접관이나 다른 지원자와 가치 논쟁을 할 필요는 없다는 것이며 오히려 불이익을 당할 수도 있다. 정답이 정해져 있지 않은 경우에는 가치관이나 성장배경에 따라 문제를 받아들이는 태도에서 답변까지 충분히 차이가 있을 수 있으므로 굳이 면접관이나 다른 지원자의 가치관을 지적하고 고치려 드는 것은 좋지 않다.

ⓒ 답변은 항상 정직해야 한다. : 면접이라는 것이 아무리 지원자의 장점을 부각시키고 단점을 축소시키는 것이라고 해도 절대로 거짓말을 해서는 안 된다. 거짓말을 하게 되면 지원자는 불안하거나 꺼림칙한 마음이 들게 되어 면접에 집중을 하지 못하게 되고 수많은 지원자를 상대하는 면접관은 그것을 놓치지 않는다. 거짓말은 그 지원자에 대한 신뢰성을 떨어뜨리며 이로 인해 다른 스펙이 아무리 훌륭하다고 해도 채용에서 탈락하게 될 수 있음을 명심하도록 한다.

ⓒ 경력직을 경우 전 직장에 대해 험담하지 않는다. : 지원자가 전 직장에서 무슨 업무를 담당했고 어떤 성과를 올렸는지는 면접관이 관심을 둘 사항일 수 있지만, 이전 직장의 기업문화나 상사들이 어땠는지는 그다지 궁금해 하는 사항이 아니다. 전 직장에 대해 험담을 늘어놓는다든가, 동료와 상사에 대한 악담을 하게 된다면 오히려 지원자에 대한 부정적인 이미지만 심어줄 수 있다. 만약 전 직장에 대한 말을 해야 할 경우가 생긴다면 가능한 한 객관적으로 이야기하는 것이 좋다.

ⓔ 자기 자신이나 배경에 대해 자랑하지 않는다. : 자신의 성취나 부모 형제 등 집안사람들이 사회·경제적으로 어떠한 위치에 있는지에 대한 자랑은 면접관으로 하여금 지원자에 대해 오만한 사람이거나 배경에 의존하려는 나약한 사람이라는 이미지를 갖게 할 수 있다. 따라서 자기 자신이나 배경에 대해 자랑하지 않도록 하고, 자신이 한 일에 대해서 너무 자세하게 얘기하지 않도록 주의해야 한다.

3 면접 질문 및 답변 포인트

(1) 가족 및 대인관계에 관한 질문

① 당신의 가정은 어떤 가정입니까?

면접관들은 지원자의 가정환경과 성장과정을 통해 지원자의 성향을 알고 싶어 이와 같은 질문을 한다. 비록 가정 일과 사회의 일이 완전히 일치하는 것은 아니지만 '가화만사성'이라는 말이 있듯이 가정이 화목해야 사회에서도 화목하게 지낼 수 있기 때문이다. 그러므로 답변 시에는 가족사항을 정확하게 설명하고 집안의 분위기와 특징에 대해 이야기하는 것이 좋다.

② 아버지의 직업은 무엇입니까?

아주 기본적인 질문이지만 지원자는 아버지의 직업과 내가 무슨 관련성이 있을까 생각하기 쉬워 포괄적인 답변을 하는 경우가 많다. 그러나 이는 바람직하지 않은 것으로 단답형으로 답변하면 세부적인 직종 및 근무연한 등을 물을 수 있으므로 모든 걸 한 번에 대답하는 것이 좋다.

③ 친구 관계에 대해 말해 보십시오.

지원자의 인간성을 판단하는 질문으로 교우관계를 통해 답변자의 성격과 대인관계능력을 파악할 수 있다. 새로운 환경에 적응을 잘하여 새로운 친구들이 많은 것도 좋지만, 깊고 오래 지속되어온 인간관계를 말하는 것이 더욱 바람직하다.

(2) 성격 및 가치관에 관한 질문

① 당신의 PR포인트를 말해 주십시오.

PR포인트를 말할 때에는 지나치게 겸손한 태도는 좋지 않으며 적극적으로 자기를 주장하는 것이 좋다. 앞으로 입사 후 하게 될 업무와 관련된 자기의 특성을 구체적인 일화를 더하여 이야기하도록 한다.

② 당신의 장·단점을 말해 보십시오.

지원자의 구체적인 장·단점을 알고자 하기 보다는 지원자가 자기 자신에 대해 얼마나 알고 있으며 어느 정도의 객관적인 분석을 하고 있나, 그리고 개선의 노력 등을 시도하는지를 파악하고자 하는 것이다. 따라서 장점을 말할 때는 업무와 관련된 장점을 뒷받침할 수 있는 근거와 함께 제시하며, 단점을 이야기할 때에는 극복을 위한 노력을 반드시 포함해야 한다.

③ 가장 존경하는 사람은 누구입니까?

존경하는 사람을 말하기 위해서는 우선 그 인물에 대해 알아야 한다. 잘 모르는 인물에 대해 존경한다고 말하는 것은 면접관에게 바로 지적당할 수 있으므로, 추상적이라도 좋으니 평소에 존경스럽다고 생각했던 사람에 대해 그 사람의 어떤 점이 좋고 존경스러운지 대답하도록 한다. 또한 자신에게 어떤 영향을 미쳤는지도 언급하면 좋다.

(3) 학교생활에 관한 질문

① 지금까지의 학교생활 중 가장 기억에 남는 일은 무엇입니까?

가급적 직장생활에 도움이 되는 경험을 이야기하는 것이 좋다. 또한 경험만을 간단하게 말하지 말고 그 경험을 통해서 얻을 수 있었던 교훈 등을 예시와 함께 이야기하는 것이 좋으나 너무 상투적인 답변이 되지 않도록 주의해야 한다.

② 성적은 좋은 편이었습니까?

면접관은 이미 서류심사를 통해 지원자의 성적을 알고 있다. 그럼에도 불구하고 이 질문을 하는 것은 지원자가 성적에 대해서 어떻게 인식하느냐를 알고자 하는 것이다. 성적이 나빴던 이유에 대해서 변명하려 하지 말고 담백하게 받아드리고 그것에 대한 개선노력을 했음을 밝히는 것이 적절하다.

③ 학창시절에 시위나 집회 등에 참여한 경험이 있습니까?

기업에서는 노사분규를 기업의 사활이 걸린 중대한 문제로 인식하고 거시적인 차원에서 접근한다. 이러한 기업문화를 제대로 인식하지 못하여 학창시절의 시위나 집회 참여 경험을 자랑스럽게 답변할 경우 감점요인이 되거나 심지어는 탈락할 수 있다는 사실에 주의한다. 시위나 집회에 참가한 경험을 말할 때에는 타당성과 정도에 유의하여 답변해야 한다.

(4) 지원동기 및 직업의식에 관한 질문

① 왜 우리 회사를 지원했습니까?

이 질문은 어느 회사나 가장 먼저 물어보고 싶은 것으로 지원자들은 기업의 이념, 대표의 경영능력, 재무구조, 복리후생 등 외적인 부분을 설명하는 경우가 많다. 이러한 답변도 적절하지만 지원 회사의 주력 상품에 관한 소비자의 인지도, 경쟁사 제품과의 시장점유율을 비교하면서 입사동기를 설명한다면 상당히 주목 받을 수 있을 것이다.

② 만약 이번 채용에 불합격하면 어떻게 하겠습니까?

불합격할 것을 가정하고 회사에 응시하는 지원자는 거의 없을 것이다. 이는 지원자를 궁지로 몰아넣고 어떻게 대응하는지를 살펴보며 입사 의지를 알아보려고 하는 것이다. 이 질문은 너무 깊이 들어가지 말고 침착하게 답변하는 것이 좋다.

③ 당신이 생각하는 바람직한 사원상은 무엇입니까?

직장인으로서 또는 조직의 일원으로서의 자세를 묻는 질문으로 지원하는 회사에서 어떤 인재상을 요구하는 가를 알아두는 것이 좋으며, 평소에 자신의 생각을 미리 정리해 두어 당황하지 않도록 한다.

④ 직무상의 적성과 보수의 많음 중 어느 것을 택하겠습니까?

이런 질문에서 회사 측에서 원하는 답변은 당연히 직무상의 적성에 비중을 둔다는 것이다. 그러나 적성만을 너무 강조하다 보면 오히려 솔직하지 못하다는 인상을 줄 수 있으므로 어느 한 쪽을 너무 강조하거나 경시하는 태도는 바람직하지 못하다.

⑤ 상사와 의견이 다를 때 어떻게 하겠습니까?

과거와 다르게 최근에는 상사의 명령에 무조건 따르겠다는 수동적인 자세는 바람직하지 않다. 회사에서는 때에 따라 자신이 판단하고 행동할 수 있는 직원을 원하기 때문이다. 그러나 지나치게 자신의 의견만을 고집한다면 이는 팀원 간의 불화를 야기할 수 있으며 팀 체제에 악영향을 미칠 수 있으므로 선호하지 않는다는 것에 유념하여 답해야 한다.

⑥ 근무지가 지방인데 근무가 가능합니까?

근무지가 지방 중에서도 특정 지역은 되고 다른 지역은 안 된다는 답변은 바람직하지 않다. 직장에서는 순환 근무라는 것이 있으므로 처음에 지방에서 근무를 시작했다고 해서 계속 지방에만 있는 것은 아님을 유의하고 답변하도록 한다.

(5) 여가 활용에 관한 질문

① 취미가 무엇입니까?

기초적인 질문이지만 특별한 취미가 없는 지원자의 경우 대답이 애매할 수밖에 없다. 그래서 가장 많이 대답하게 되는 것이 독서, 영화감상, 혹은 음악감상 등과 같은 흔한 취미를 말하게 되는데 이런 취미는 면접관의 주의를 끌기 어려우며 설사 정말 위와 같은 취미를 가지고 있다하더라도 제대로 답변하기는 힘든 것이 사실이다. 가능하면 독특한 취미를 말하는 것이 좋으며 이제 막 시작한 것이라도 열의를 가지고 있음을 설명할 수 있으면 그것을 취미로 답변하는 것도 좋다.

② 술자리를 좋아합니까?

이 질문은 정말로 술자리를 좋아하는 정도를 묻는 것이 아니다. 우리나라에서는 대부분 술자리가 친교의 자리로 인식되기 때문에 그것에 얼마나 적극적으로 참여할 수 있는 가를 우회적으로 묻는 것이다. 술자리를 싫어한다고 대답하게 되면 원만한 대인관계에 문제가 있을 수 있다고 평가될 수 있으므로 술을 잘 마시지 못하더라도 술자리의 분위기는 즐긴다고 답변하는 것이 좋으며 주량에 대해서는 정확하게 말하는 것이 좋다.

(6) 여성 지원자들을 겨냥한 질문

① 결혼은 언제 할 생각입니까?

지원자가 결혼예정자일 경우 기업은 채용을 꺼리게 되는 경향이 있다. 업무를 어느 정도 인식하고 수행할 정도가 되면 퇴사하는 일이 흔하기 때문이다. 가능하면 향후 몇 년간은 결혼 계획이 없다고 답변하는 것이 현실적인 대처 요령이며, 덧붙여 결혼 후에도 일하고자 하는 의지를 강하게 내보인다면 더욱 도움이 된다.

② 만약 결혼 후 남편이나 시댁에서 직장생활을 그만두라고 강요한다면 어떻게 하겠습니까?

결혼적령기의 여성 지원자들에게 빈번하게 묻는 질문으로 의견 대립이 생겼을 때 상대방을 설득하고 타협하는 능력을 알아보고자 하는 것이다. 따라서 남편이나 시댁과 충분한 대화를 통해 설득하고 계속 근무하겠다는 의지를 밝히는 것이 좋다.

③ 여성의 취업을 어떻게 생각합니까?

여성 지원자들의 일에 대한 열의와 포부를 알고자 하는 질문이다. 많은 기업들이 여성들의 섬세하고 꼼꼼한 업무능력과 감각을 높이 평가하고 있으며, 사회 전반적인 분위기 역시 맞벌이를 이해하고 있으므로 자신의 의지를 당당하고 자신감 있게 밝히는 것이 좋다.

④ 커피나 복사 같은 잔심부름이 주어진다면 어떻게 하겠습니까?

여성 지원자들에게 가장 난감하고 자존심상하는 질문일 수 있다. 이 질문은 여성 지원자에게 잔심부름을 시키겠다는 요구가 아니라 직장생활 중에서의 협동심이나 봉사정신, 직업관을 알아보고자 하는 것이다. 또한 이 과정에서 압박기법을 사용해 비꼬는 투로 말하는 수 있는데 이는 자존심이 상하거나 불쾌해질 때의 행동을 알아보려는 것이다. 이럴 경우 흥분하여 과격하게 답변하면 탈락하게 되며, 무조건 열심히 하겠다는 대답도 신뢰성이 없는 답변이다. 직장생활을 위해 필요한 일이면 할 수 있다는 정도의 긍정적인 답변을 하되, 한 사람의 사원으로서 당당함을 유지하는 것이 좋다.

(7) 지원자를 당황하게 하는 질문

① 성적이 좋지 않은데 이 정도의 성적으로 우리 회사에 입사할 수 있다고 생각합니까?

비록 자신의 성적이 좋지 않더라도 이미 서류심사에 통과하여 면접에 참여하였다면 기업에서는 지원자의 성적보다 성적 이외의 요소, 즉 성격·열정 등을 높이 평가했다는 것이라고 할 수 있다. 그러나 이런 질문을 받게 되면 지원자는 당황할 수 있으나 주눅 들지 말고 침착하게 대처하는 면모를 보인다면 더 좋은 인상을 남길 수 있다.

② 우리 회사 회장님 함자를 알고 있습니까?

회장이나 사장의 이름을 조사하는 것은 면접일을 통고받았을 때 이미 사전 조사되었어야 하는 사항이다. 단답형으로 이름만 말하기보다는 그 기업에 입사를 희망하는 지원자의 입장에서 답변하는 것이 좋다.

③ 당신은 이 회사에 적합하지 않은 것 같군요.

이 질문은 지원자의 입장에서 상당히 곤혹스러울 수밖에 없다. 질문을 듣는 순간 그렇다면 면접은 왜 참가시킨 것인가 하는 생각이 들 수도 있다. 하지만 당황하거나 흥분하지 말고 침착하게 자신의 어떤 면이 회사에 적당하지 않는지 겸손하게 물어보고 지적당한 부분에 대해서 고치겠다는 의지를 보인다면 오히려 자신의 능력을 어필할 수 있는 기회로 사용할 수도 있다.

④ 다시 공부할 계획이 있습니까?

이 질문은 지원자가 합격하여 직장을 다니다가 공부를 더 하기 위해 회사를 그만 두거나 학습에 더 관심을 두어 일에 대한 능률이 저하될 것을 우려하여 묻는 것이다. 이때에는 당연히 학습보다는 일을 강조해야 하며, 업무 수행에 필요한 학습이라면 업무에 지장이 없는 범위에서 야간학교를 다니거나 회사에서 제공하는 연수 프로그램 등을 활용하겠다고 답변하는 것이 적당하다.

⑤ 지원한 분야가 전공한 분야와 다른데 여기 일을 할 수 있겠습니까?

수험생의 입장에서 본다면 지원한 분야와 전공이 다르지만 서류전형과 필기전형에 합격하여 면접을 보게 된 경우라고 할 수 있다. 이는 결국 해당 회사의 채용 방침상 전공에 크게 영향을 받지 않는다는 것이므로 무엇보다 자신이 전공하지는 않았지만 어떤 업무도 적극적으로 임할 수 있다는 자신감과 능동적인 자세를 보여주도록 노력하는 것이 좋다.

02 LG그룹 계열사 면접기출

PLUS *TIP*

> 면접기출에서는 LG그룹의 주요 계열사별 최근 면접기출 질문을 수록하여 면접을 연습해볼 수 있도록 하였다. 어떤 질문이 주어졌는지를 살펴보고 미리 답변을 준비해둔다면 실전에서 당황하지 않고 성공적으로 면접을 마칠 수 있을 것이다.

(1) LG전자

① 인성면접

- 자기소개를 해보시오.
- 학교에서 흥미있게 배웠던 것은 무엇인가?
- 자신의 연구 분야에 대해 설명한다면?
- 전공은 무엇이고, 왜 그 전공을 선택했는가?
- 앞으로 입사하게 되면 만들고 싶은 구체적인 제품과 하고 싶은 연구는?
- LG전자 제품의 기술에 대해 아는 것은? 기여할 수 있는 것은?
- 자신을 어필할 수 있는 말은?
- 자신의 장, 단점은?
- LG 노트북의 단점은 무엇인가?
- 친한 친구란 무엇인가? 그런 친구가 몇 명이나 있는가?
- 가장 싫어하는 유형의 사람은?
- 취미는 무엇인가?
- 주량은 어떻게 되는가?
- 1등 기업의 단점과 2등 기업의 단점은 무엇인가?
- 추후 리더가 된다면 무엇을 중요시 할 것인가?
- 창의력을 키우는 본인만의 방법은 무엇인가?
- 우리는 많은 지원자들 중 한명만 뽑아야 한다. 당신의 장점은 무엇인가?
- 어떤 상품으로 어디를 마케팅해보고 싶은가?
- 동료와 근무환경 다 좋은데 일이 적성에 안 맞으면 어떻게 할 것인가?

- 최근 관심을 갖고 있는 해외 관련기사는 무엇이며 어떻게 생각하는가?
- 기존의 것에 아이디어를 가미해 개선한 사례가 있다면?
- 새로운 것에 도전하거나 또는 변화를 좋아하는가?
- 특정분야에 몰입해 본 적이 있는가?
- 자신이 주도적으로 해본 일이 무엇인가?
- LG전자 휴대폰의 마케팅적 특성과 제품적 특성에 대해 이야기해보시오.
- 마케팅 예산이 10억 있다면 어떻게 쓸 것인가?
- 연구개발의 덕목 우선순위를 꼽으면? (끈기, 꼼꼼함, 긍정마인드)

② 영어면접
- 인터뷰 이후의 일정은?
- 응시자의 자기소개, 지원동기 내용 중 특정 부분에 관한 1~2가지 질문
- 자신이 가장 좋아하는 물건은?
- 속담을 외국인에게 설명하는 것(백지장도 맞들면 낫다, 청출어람)
- 영어로 된 신문기사를 읽고 바로 해석

③ PT면접
- 열역학 1법칙을 이용하여 생활 속에서 일어나는 현상을 풀어나가는 과정 설명
- 응력-변형도 선도를 이용하여 푸는 문제
- 수동소자와 능동소자 차이점 설명
- L, R, C에 대하여 간단히 설명하시오.

(2) LG디스플레이

① 인성면접
- 자기소개를 해보시오.
- 입사 후 어떤 부서에서 일하고 싶은가? 이유는 무엇인가?
- 자신의 전공을 통해 LGD에서 어떤 일을 할 수 있을 것 같은가?
- 대회 입상 경험이 있는가?
- 전시회 관람 경험이 있는가?
- 살아오면서 가장 힘든 경험이 있는가? 힘든 일을 어떻게 극복했는가?

- 제일 좋아하는 과목이 무엇인가?
- OPAMP는 무엇인가?
- 면접경험은 몇 번이나 있는가?
- 목표가 있다고 했는데, 이전에 목표를 세워서 성취한 경험이 있는가?
- LGD가 나아가야 할 방향은 무엇이라고 보는가?
- 어떤 장점이 우리 회사와 부합한다고 생각하는가?
- 요즘 LCD패널의 방열 현상이 큰 문제가 되고 있는데 해결방안은?
- 디스플레이에 관한 본인 생각을 한 단어로 말해보시오.
- LCD와 OLED의 구동방식 차이는 무엇인가?
- 본인이 LG 디스플레이에서 하고 싶은 것은?
- TFT-LCD 공정에 관해서 설명해보시오.
- 대구 출신인데 구미가 아닌 파주를 선택한 이유는?
- 그린정책에 대해서 어떻게 생각하는가?
- LCD와 PDP의 차이는?
- 나이퀴스트 프리퀀시가 쓰이는 제품은?
- 디스플레이사의 주력 제품은?
- 맥스웰 방정식이 무엇인가?
- VA의 장점은?
- LG 사가는 아는가?
- 디스플레이에서 TR이 없으면 어떻게 되는가?
- LG디스플레이가 나아갈 방향에 대해 말해보시오.
- 구리배선이 저항이 적은데 왜 좋은가?
- OLED 공정에 대해 말해보시오.
- 영어로 자기소개를 해보시오.
- IPS에 대해서 말해보시오.
- LG디스플레이 면접을 위해 어떻게 준비했는가?
- 회사를 선택하는 가치관은?
- 핸드폰에 저장된 인원수는?

② PT면접

- 자신의 아이디어를 제시하여 발표하시오.

- 창의적이고, 고객중심의 Display를 만드시오.

(3) LG CNS

- 자기소개를 해보시오.

- LG CNS가 어떤 회사인가?

- LG CNS가 비전공자도 많이 뽑는 이유가 무엇이라고 생각하는가?

- IT와 IT업체에 관하여 말해보시오.

- 영어회화는 잘 하는가? (영어, 중국어 등 어학 능력 관련 질문)

- 가장 자신있는 언어는 무엇인가?

- 가장 흥미로운 과목은 무엇인가?

- 경험한 프로젝트가 있는가?

- 회사에 관하여 궁금한 것이 있는가?

- 마지막으로 하고 싶은 말은 무엇인가?

- 성적이 낮은 편인데 왜 그런가?

- 아르바이트 경험이 있는가?

- 타사에 지원한 곳이 있는가?

- 어떤 분야에서 일하고 싶은가? 그 이유는 무엇인가?

(4) LG이노텍

① 인성면접

- 자기소개를 해보시오.

- 지원 동기는 무엇인가?

- 지원한 직무에 가장 중요한 덕목은 무엇이라고 보는가?

- 스펙이 다른 지원자들에 비해 좋지 않다고 생각하지 않는가?

- 자신이 해본 프로젝트에 대해 설명해 보시오.

- 자신을 한 마디로 표현한다면?

- 합격한다면 입사는 언제 가능한가?

- 존경하는 인물은 누구인가?

- 이 분야에 지원한 이유는 무엇인가?
- 근무지역은 어떤 곳이 좋은가?
- 마지막으로 하고 싶은 말은?
- 주량은 어떻게 되는가?
- 목표를 가지고 생활하는 편인가? 그러면 목표를 이룬 경험이 있는가?
- 최근에 가장 기억에 남는 여행은?
- 다른 사람과 다른 강점은?
- 당신이 가지고 있는 직무 역량은?
- LED 공정에 대해서 말해보시오.
- 주말근무를 해야 한다면 어떨 것 같은가?

② PT/토론면접
- FCC격자의 충진률
- 에피성장 시 dislocation 및 stacking fault가 왜 생기며 격자 lattice parameter의 차이에 의한 박막성장 차이는?
- 점결함이란 무엇인가?
- 직접 반도체와 간접 반도체의 차이, 왜 직접 반도체를 사용해야 되는가?
- 갈바닉 부식

③ 영어면접
- 꿈, 여행담에 관하여 말해보시오.
- 자기소개를 해보시오.
- 지원동기가 무엇인가? LG이노텍을 좋아하는가?
- CEO가 당신에게 커피를 마시자고 초대했다. 그때 당신의 첫 마디는?
- 주말에는 무엇을 할 예정인가?
- 회사에서 (상사가) 계속 밤늦게까지 일을 시킨다면 어떻게 할 것인가?
- 좋아하는 색깔은 무엇인가?
- 건강을 위해 무엇을 하는가?
- 신문 볼 때 먼저 무엇을 보는가?
- 영어 스크립트를 혼자 소리내어 읽어 보고, 관련 질문 한 가지에 답해보시오.

(5) LG화학

① 인성면접

- 자기소개를 해보시오.
- 직업에 관하여 어떻게 생각하는가?
- 어떤 사람과 함께 일하고 싶은가?
- 남자의 경우 병역관련 질문
- 지방근무는 가능한가?
- LG화학에 아는 지인이 있는가?
- 지도교수님 성함은 무엇인가?
- 학부 때 과에서 몇 등 정도 했는가?
- 지망분야에서 자신이 무엇을 할 수 있는가?
- 지망분야가 배정된 분야와 다르다면 어떻게 할 것인가?
- 열정을 다한 경험이 있는가?
- 인생에서 중요하다고 생각하는 점은 무엇인가?
- 좌우명은 무엇인가?
- 본인이 지원한 직무에서 중요하다고 생각하는 점은?
- 리더의 역할을 많이 했는가? 지원자의 역할을 많이 했는가?
- 자신의 단점과 그것을 보완하기 위해 한 노력에 대해 말해보시오.
- 지금까지 한 것 중에 가장 큰 도전은?
- 최근에 나온 책 중에서 추천해보시오.
- 지원 장소가 아닌 다른 곳에서 근무가 가능한가?
- 갈등 상황을 겪었던 경험에 대해 말해보시오.
- 조직이 무엇이라고 생각하는가?
- 조직에서 같이 일하고 싶은 사람과 일하기 힘든 사람의 유형은 무엇인가?
- 상사와 자신의 의견이 다를 경우 어떻게 자신의 의견을 피력할 것인가?
- 시설이 고장 났을 경우 어떤 식으로 고칠 것인가?
- 자신의 자랑을 해보시오.
- LG 야구팀이 꼴찌하는 이유와 1등하려면 어떻게 해야 하는가?
- 영어 공부를 얼마나 했는가?

- 오창에서 근무할 수 있는가?
- 대산공장을 선택한 이유는?
- 1지망, 2지망 직무가 다른 이유는?
- 회사에 입사해서 어떤 일을 할 수 있는가?
- 왜 전공 학점이 좋지 않은가?
- 왜 우리 회사와 관련 없는 자격증을 적어놨는가?
- 지금까지 했던 경험 중 가장 힘든 것은?

② PT/토론면접
- 보호무역주의 강화 가능성에 따라 그것을 극복하기 위한 LG화학의 대안
- LG화학의 CEO라면, 10년간 LG화학을 어떻게 이끌어 나갈 것인가?
- 고향에 대해 소개해보시오.
- 지상파 방송 중간광고 허용에 대한 찬반
- 종교 단체의 수익과 재산에 대한 과세 여부
- 복수 노조 허용 찬반
- 쥐머리 새우깡 문제에 대해 당신이 농심 CEO라면 기업이미지 개선을 위해 어떻게 대처할 것인가?
- 직장에 급한 일이 있는데 아내가 회사 앞에서 같이 식사를 하자고 기다리고 있다. 그러면 어떻게 하겠는가?
- 복수국적허용에 대한 관점

③ 영어면접
- 지난주에 뭐 했는가?
- 대학강의 중 가장 싫어하는 과목은?
- 하루 동안만 유명한 사람이 된다면 누가 되고 싶은가?
- 어느 나라를 여행하고 싶은가?
- 사진을 설명해보시오.
- 최근에 돈을 빌린 적이 있는가?
- 아인슈타인이 똑똑한가? 에디슨이 똑똑한가?
- 세상에서 제일 위험한 직업은 무엇이라고 생각하는가?
- 지금 질병을 하나 없앨 수 있다면 어떤 질병을 없애겠는가?

- 최근에 읽은 책이 무엇이 있는가?

- 올 때 무엇을 타고 왔는가?

- 좋아하는 장소는?

- 존경하는 친구가 있다면 그 이유는?

- 북핵문제에 대하여 어떻게 생각하는가?

- 왜 LG화학을 선택했는가?

- 마지막으로 할 질문은 없는가?

(6) LG생활건강

- 1분간 자기소개를 하시오.

- 타사에 지원한 곳이 있는가? 합격한다면 어디로 갈 것인가?

- 프로젝트를 수행한 경험이 있는가?

- LG생활건강에 대해 아는 것을 말해보시오.

- LG생활건강의 단점은 무엇이라고 보는가?

- 리더십을 발휘한 경험이 있는가?

- 리더십에 관하여 어떤 책을 읽었는가?

- 마지막으로 하고 싶은 말은 무엇인가?

- 어느 지방에서 근무하고 싶은가?

- 해외에서 LG가 왜 선전하고 있는가?

- 화장품 영업에 대해 얼마나 아는가?

- 왜 우리가 당신을 뽑아야 하는지 구체적이고 독특한 이유 하나만 말해보시오.

- 합격 시 직장을 어떻게 다닐 것인가?

- 직장을 구할 때 가장 중요하게 생각하는 것은?

- 실무 마케팅을 해 본 경험이 있는가?

- 과거의 자신의 꿈은 무엇이었는가?

- 면접에서 떨어진다면 어떻게 하겠는가?

- LG에 대한 자신의 느낌을 말해보시오.

- 체력은 어떤가?

- 언제나 어디서나 미소를 지을 수 있는 마음가짐이 되어 있는가?

(7) LG U+

- (면접 시작 전 인생그래프를 그리고 자신의 인생그래프에 대한 설명을 함)
- 최근에 갔던 여행 중 기억에 남는 여행은?
- 현재 살고있는 지역은 어디인가?
- 본사에 지원한 동기는 무엇인가?
- 지망 분야와 전공과의 연관성은 무엇이라고 보는가?
- 특기는 무엇인가?
- 지방으로 발령받으면 어떻게 하겠는가?
- 전공공부와 어학공부를 어떻게 하였는가?
- 아버지의 직업은?
- LG 유플러스에 현재 홈 CCTV를 출시했는데 써봤는가?
- 인사 직무에서 가장 중요하다고 여기는 단어 하나씩 말해보시오.
- 직장동료가 자신보다 빨리 승진한다면 어떻게 하겠는가?
- 개인별 성과급과 집단 성과급 중에 어떤 것을 선택하겠는가?
- 어떤 직무에서 일하고 싶은가?
- 마지막으로 하고 싶은 말은?

(8) LG서브원

- 자기소개를 해보시오.
- 1분 동안 자신에 대해서 PR한다면?
- 가족관계가 어떻게 되는가?
- 학교생활에서 특별한 점은 무엇인가?
- 자신의 대인관계에 대해서 어떻게 생각하는가?
- 성격의 장단점은 무엇인가?
- 직무와 관련된 아르바이트 경험은?
- 자신이 수행했던 프로젝트는?
- 서브원에 대해서 아는 대로 말해보시오.
- 서브원에 대해서 궁금한 것이 있다면?
- 현장 근무와 본사 근무 중 어떤 것을 선호하는가?
- 회사를 선택하는 기준이 무엇인가?

- 자신이 지원한 직무에 대하여 아는 대로 말해보시오.
- 직장 동료나 협력사, 고객사간의 갈등을 어떻게 해결할 것인가?
- 자신이 가장 열정을 쏟았던 일은 무엇인가?
- 자신을 한 마디로 표현한다면?
- 마지막으로 하고 싶은 말은 무엇인가?
- 서브원이 다른 회사에 비해 매력적인 이유는?
- 서브원 입사를 위해 준비하던 중 가장 기억에 남는 이슈는 무엇인가?
- 본인이 생각하기에 이 일을 하기 위해 어떤 역량이 중요한 것 같은가?
- (전공과 관련 없는 직무에 지원한 경우) 이 직무에 지원한 이유는 무엇인가?
- 입사 후 이루고 싶은 것은 무엇인가?

M · E · M · O

M·E·M·O

여러분을
응원합니다

수험서 전문출판사 **서원각**

표를 위해 나아가는 수험생 여러분을 성심껏 돕기 위해서 서원각에서는 최고의 수험서 개발에 심혈을 기울이고 있습 니다. 희망찬 미래를 해서 노력하는 모든 수험생 여러분을 응원합니다.

공무원 대비서   취업 대비서   군 관련 시리즈   자격증 시리즈   동영상 강의

서원각 동영상강의와
도전하라!

🎥 www.sojungmedia.com

홈페이지에 들어오신 후 서원각 알짜 강의, 샘플강의를 들어보세요!

자격증	군관련 (부사관/장교)	공무원
건강운동관리사	육군부사관	소방공무원 소방학개론
사회복지사 1급	공군장교	소방공무원 생활영어
사회조사분석사 2급	공군 한국사	9급 기출해설(국어/영어/한국사)
임상심리사 2급	육군·해군 근현대사	9급 파워특강(행정학개론/교육학개론)
관광통역안내사		기술직 공무원(물리·화학·생물)
청소년상담사 3급		

BIG EVENT

시험 보느라 고생한 수험생 여러분들께 서원각이 쏜다! 쏜다!
네이버 카페 기업과 공사공단에 시험 후기를 남겨주신 모든 분들께 비타 500 기프티콘을 드립니다!

선물 받는 방법

① 네이버 카페 검색창에서 [기업과 공사공단]을 검색해주세요.

② 기업과 공사공단 필기시험 후기 게시판에 들어가 주세요.

③ 기업체 또는 공사·공단 필기시험에 대한 후기 글을 적어주세요.

자격증 BEST SELLER

매경TEST 출제예상문제

TESAT 종합본

청소년상담사 3급

임상심리사 2급 필기

유통관리사 2급 종합기본서

직업상담사 1급 필기·실기

사회조사분석사 사회통계 2급

초보자 30일 완성 기업회계 3급

관광통역안내사 실전모의고사

국내여행안내사 기출문제

손해사정사 1차 시험

건축기사 기출문제 정복하기

건강운동관리사

2급 스포츠지도사

택시운전 자격시험 실전문제

수산물품질관리사